未来を変えろ！天才の発想

3分間サバイバル

あかね書房

もくじ

01

ひらめきの街角

危機《きき》→逆転《ぎゃくてん》？

1950年代、大阪のとある町にて。

「あーあ、もう切れなくなっちゃった。」

オカダヨシオは、ナイフをほうりだした。

印刷工場では紙を裁断《さいだん》する仕事が多いのだが、大量に切っているとナイフはすぐに切れ味が悪くなってしまう。

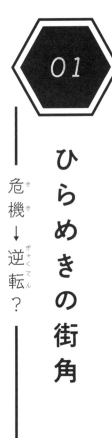

カミソリを使うこともあるが、むきだしの刃《は》を持って切るのは危《あぶ》ないのであまり好きではない。

オカダはしかたなく、ナイフを砥石《といし》で研《と》ぎはじめた。その横で、先輩《せんぱい》がナイフをぽいとゴミ箱に投げこむのが見えた。

オカダがそれを見とがめるような気配を感じたのか、先輩《せんぱい》は言いわけのようにつぶやいた。

「いちいち研《と》ぐのはめんどうだからな。」

「そうですよね。」

オカダはそう言いながらも、もったいないなと思っていた。でも、たしかにナイフを研《と》ぐのはめんどうくさいし、またすぐに切れなくなってしまうし……。

そんなある日のこと。

家に帰るとちゅう、オカダは道ばたに座《すわ》りこんで作業をしているくつ職人《しょくにん》にふと目をとめた。職人《しょくにん》は、大きめのガラス片《へん》でくつ底のゴムをけずっていたが、不意に手を止めるとガラスを地面にたたきつけた。

パリン、と音がしてガラスが割《わ》れる。

職人《しょくにん》は小さくなったガラス片《へん》を持つと、またくつ底をけずりはじめる。

（なるほど、切れ味が鈍《にぶ》くなったらああやって先をとがらせてるのか。ナイフも割《わ》ることができたらなぁ。）

　そのとき、オカダの頭にある場面が思い浮《う》かんだ。

　それは戦後まもなく、彼《かれ》が少年だったころ——進駐軍《しんちゅうぐん》のアメリカ兵たちがお菓子《かし》をかじりながら町を歩き回っている姿《すがた》だった。

　それが、あのガラスの割《わ》れる音と結びついたのだ。

（そうか。ナイフにもあんなふうに折《お》り筋《すじ》を入れられないか？）

　オカダはこの思いつきから、切れ味が悪くなったら刃《は》を折ることができるカッターナイフを発明することになる。

　きっかけは「切れ味が持続するナイフがほしい」という思い。そこに、たまたま見かけたくつ職人《しょくにん》、かつて見た光景が奇跡《きせき》的に組み合わさって、世界的な発明品が生まれたのである。

刃《は》が折れるカッターナイフのヒントになったのは2つのものだ。一つはガラス片《へん》を割《わ》って使うくつ職人《しょくにん》。もう一つの、「あらかじめ筋《すじ》が入っているお菓子《かし》」とは何だろうか。

解説《かいせつ》

オカダが思いうかべた「あらかじめ筋《すじ》が入っているもの」とは、アメリカ兵がかじっていた板チョコである。

岡田良男《おかだよしお》は「板チョコのように、ナイフの刃《は》に筋《すじ》を入れておき、切れ味が悪くなったら刃《は》を折って使える」カッターナイフを着想。特許《とっきょ》を取得《しゅとく》すると、まずはメーカーに製造《せいぞう》を持ちかけたのだが、当時は「折れる刃《は》なんてダメだ」「売れるわけがない」と理解《りかい》してもらえず、自ら製作《せいさく》を始める。刃《は》自体はじょうぶでありつつ、折りたいときに折れる厚《あつ》さでなくてはならない。また、折《お》り筋《すじ》の幅《はば》や角度が決まるまでにはかなりの苦労があったという。のちに立ち上げた会社「オルファ」は「折《お》る刃《は》」から名づけられた。

02

タダより高いものはない？

危機《きき》→逆転《ぎゃくてん》？

20世紀《せいき》初頭。アメリカのとある町にて。

汽車から降《お》りてきたジャックは、駅の水飲み場の前に立つと目を丸くした。

「あーあ、どうなってんだ。ここも使用禁止《きんし》かよ！」

すかさずジャックのそばにやってきたのは、近くで雑貨店《ざっかてん》を営《いとな》むベンである。重そうなカゴの中からコーラのびんを取り出すとジャックの目の前にさしだす。

「よう、ジャック。コーラはいかがかね？」

「水ならタダなのになぁ。しょうがない、1本もらうよ。」

ベンは5セント硬貨《こうか》を受け取ると、センをぬいてコーラをわたす。

ジャックはのどを鳴らして生ぬるいコーラを飲みほした。

「ああ、生き返ったよ。汽車の中の水飲み場も使用禁止《きんし》でな。のどがカラカラだったんだ。」

ベンはニヤリと笑った。彼《かれ》はそれを知っていたからこそ、わざわざコーラを売りに出かけて来たのだ。

「ジャック、もうタダで水は飲めないぜ。今、結核《けっかく》がはやってるのは知ってるだろう？　水飲み場のコップが菌《きん》を広めてるらしいんだ。」

当時、アメリカでは無料の水飲み場にブリキのコップが置かれていた。これをたくさんの人が使い回すことが結核菌《けっかくきん》を広める原因《げんいん》だとわかり、続々《ぞくぞく》と水飲み場が使用禁止《きんし》になったのである。

「うへぇ、不便な世の中だなぁ。これまで、水はタダでいくらでも飲めたのに。」

ジャックは肩《かた》をすくめた。


たまたま2人のそばにいてこの会話を聞いていたローレンスは、キラリと目を光らせた。彼《かれ》は弁護士《べんごし》で、発明家でもある。

（これは大きなビジネスになるかもしれないな。ジャンジャン水を売ってもうけるぞ！）

これまでタダで水を飲んでいた人々《ひとびと》がはたして水を買ってくれるのだろうか。ローレンスは水を飲むためにあるものを開発したのだが、それは何だろうか。

解説《かいせつ》

ローレンスは「ブリキの共用コップが原因《げんいん》で病原菌《びょうげんきん》が広まっている」という点に着眼《ちゃくがん》した。そこで、彼《かれ》は使い捨《す》てできる紙コップを考案したのである。ローレンスは実業家のムーアの経営《けいえい》する水の会社と組み、1セントを入れると紙コップ1杯《ぱい》分の水が飲める販売機《はんばいき》を開発したのだ。1セントは、当時のコーラ1本の5分の1ほどの値段《ねだん》。ローレンスは「水を売る」というより、「紙コップを売る」ことで成功できると予測《よそく》し、その通りになった。このあと、スペインかぜの流行により、さらに紙コップは普及《ふきゅう》していく。

当初は衛生面《えいせいめん》にすぐれていることから「健康カップ」と呼《よ》ばれた。食器を洗《あら》う手間が省けるし、テイクアウトにも向くためソーダやアイスクリームを売る軽食堂《けいしょくどう》で導入《どうにゅう》され、紙コップは生活に密着《みっちゃく》していく。現代《げんだい》ではリサイクルの研究が進み、紙コップを再生可能《さいせいかのう》な資源《しげん》に加工する装置《そうち》も実用化されている。

03

犬も歩けば棒《ぼう》に当たる

危機《きき》→逆転《ぎゃくてん》？

1970年代の終わりごろ。

（やっともう少しで完成するってところまで来たのになぁ……。）

K《ケー》氏は昼食を食べ終わったあと、すぐにオフィスにもどる気にならず、あてもなく反対方向へ足を進めていた。ここのところ、ずっと考えづめで頭が疲《つか》れているのだ。もっとも自分一人ではなく、開発チーム全員がそうなのだが……。

K《ケー》氏が取り組んでいるのは、温水洗浄便座《せんじょうべんざ》の開発だ。温水洗浄便座《せんじょうべんざ》とは、おしりを洗《あら》える機能《きのう》つきの便座《べんざ》のことである。

温水洗浄便座《せんじょうべんざ》の歴史《れきし》は意外に古い。

アメリカやスイスで開発されたものが医療用《いりょうよう》として日本に輸入《ゆにゅう》され、１９６０年代後半には日本のメーカーも独自《どくじ》の商品を作っている。

K《ケー》氏の勤《つと》めるT《ティー》社でもそのころに温水洗浄便座《せんじょうべんざ》を発売したが、温水の温度が一定しなかったり、変な方向に温水が噴射《ふんしゃ》されたり――高価《こうか》なわりに完成度が低かったのであまり売れなかった。

それから10年近くがすぎて。T《ティー》社では「あれを改良して、今度こそ一般《いっぱん》にも普及《ふきゅう》するような商品を作ろう」と開発チームが編成《へんせい》されたのだ。

まず取り組んだのは、肛門《こうもん》に温水を吹《ふ》きかけるノズルの位置の決定だ。肛門《こうもん》にちゃんと温水が当たるようにするため、チームの面々《めんめん》は「人が便座《べんざ》に座《すわ》ったときの平均的《へいきんてき》な肛門《こうもん》の位置」を調べることにした。社員に協力してもらって、３００人以上のデータを集め、分析《ぶんせき》を行ったのだ。

しかし、ノズルの位置を決めるにはさらに苦労することになった。ノズルを肛門《こうもん》の真下にすれば、肛門《こうもん》を洗《あら》い流したお湯がノズルにかかってよごれてしまう。この問題をクリアするには、ノズルに角度をつけ、近すぎず遠すぎない位置にする必要がある。

「温水の温度は38度」と決めるまでにも0・1度ずつ温度を変えながら、肛門《こうもん》に温水を当てる実験を重ねている。身をもって快適《かいてき》な温度を確《たし》かめたのだ。

ところが、いよいよ完成間近と思われたころ、重要な課題が立ちはだかった。正確《せいかく》に38度の温水を出すためには、IC《アイシー》（コンピュータやデジタル機器に使われる電子回路）によるコントロールが必要だ。だが、電子機器であるIC《アイシー》は非常《ひじょう》に水に弱い。水がかかれば故障《こしょう》してしまう。

水に強いIC《アイシー》はないか、開発できないか。機械メーカーに相談を持ちかけたものの、返ってくる返事は「うちではできません」ばかりだったのだ。

（これまでだって壁《かべ》にぶつかったことは一度や二度じゃない。そう、苦労してノズルの位置を決めたあとに「これだと便がついてしまう」という意見が出たときも目の前が真っ暗になったっけな。)

K《ケー》氏は、その難題《なんだい》を解決《かいけつ》したときのことを思い出していた。

チームのメンバーが外を歩いていて、道ばたに停《と》まった車からラジオのアンテナがのびたのを見て解決策《かいけつさく》を思いついたのだ。つまり、使うときにノズルが出てきて、噴射《ふんしゃ》が終わったら収納《しゅうのう》されるようにすればいい!

(犬も歩けば棒《ぼう》に当たる、だよな。歩くのは脳《のう》を活性化《かっせいか》させるとも言うし。)

パラパラと雨つぶが落ちはじめ、アスファルトの路面を黒くそめていく。K《ケー》氏は小走りしはじめたが、青信号がチカチカ点滅《てんめつ》していたので横断歩道《おうだんほどう》の前で足を止めた。

(きっと出口は見つかるはず。考えろ。考え続けるんだ……。)

そのとき。

「危《あぶ》ない!」

K《ケー》氏はだれかに強くうでをつかまれた。

赤信号なのに、K《ケー》氏はフラフラと横断歩道《おうだんほどう》にふみだしていたのだ。

「信号を見なさいよ！　もう少しで車に……。」

K《ケー》氏のうでをつかんだ男の人は、K《ケー》氏の表情《ひょうじょう》を見て口をつぐんだ。

すんでのところでひかれるところだったというのに――K《ケー》氏は前方を見上げ、満面の笑《え》みをうかべていたのだ。


K《ケー》氏は、水に強いIC《アイシー》の問題の打開策《だかいさく》を発見したようだ。どんなヒントを見つけたのだろうか。

解説《かいせつ》

K《ケー》氏は雨にぬれている信号機を見て「これはコンピュータによって制御《せいぎょ》されているはず」とひらめいたのだ。信号機を製造《せいぞう》しているメーカーに問い合わせたところ、水に強い特別な「ハイブリッドIC《アイシー》」の技術《ぎじゅつ》を持っていることがわかった。この会社が協力してくれたため、温水の温度コントロールが可能《かのう》になったのだ。

この話は、TOTO《トートー》という住宅総合機器《じゅうたくそうごうきき》メーカーが「ウォシュレット」を開発した際《さい》の実話をもとにしたもの。1980年に発売されたウォシュレットはしだいに普及《ふきゅう》し、日本の温水洗浄便座《せんじょうべんざ》を代表する大ヒット商品となった。

04

調理実験

失敗《しっぱい》↓逆転《ぎゃくてん》？

ときは1945年。軍需製品《ぐんじゅせいひん》を手がけるアメリカのR《アール》社にて。技術者《ぎじゅつしゃ》のパーシーは軍事レーダーの実験を行っていた。レーダーは、マグネトロン（真空管の一種）から出るマイクロ波（電磁波《でんじは》）を放射《ほうしゃ》する装置《そうち》だ。戦中は、敵軍《てきぐん》の飛行機や船の場所を割《わ》り出すのに使われていた。

パーシーは、何の気なしにポケットに手をつっこんだ。

（おや？）

グニャッとした感触《かんしょく》。ポケットに入っていたチョコレートバーを取り出してみると、温まって溶《と》けているではないか。

(暑いわけでもないのにおかしいな。)

パーシーは、あたりを見回した。

(さっきからスイッチを入れたマグネトロンの前に立ってたけど。まさか、これが影響《えいきょう》しているのか?)

パーシーは好奇心《こうきしん》につき動かされ、マグネトロンの前に乾燥《かんそう》させたトウモロコシの粒《つぶ》を置いてみた。ポップコーンのもとになるものである。

パン、パン、パーン!

「やった。ポップコーンができたぞ!」

パーシーは喜《よろこ》んでポップコーンを口に放りこんだ。

(次は……そうだ。ゆで卵《たまご》が作れるかも。)

パーシーはマグネトロンの前に生卵《なまたまご》を置いて、その場でじっと待った。

(さて、ゆでるのとはちがうし……何分くらいでできるのかな?)

そう思ったとき。

バーンと派手《はで》な破裂音《はれつおん》がした。

「なんでこうなるんだ⁉」

この不思議な実験がのちに世界的に広まる家電製品《かでんせいひん》の発明につながるとは、卵《たまご》の白身と黄身まみれになったパーシーにはまだ想像《そうぞう》もつかなかった。


マイクロ波を利用して発明された家電製品《かでんせいひん》とは何だろうか。

パーシーの実験から推理《すいり》してみてほしい。

解説《かいせつ》

これは事実をもとにした話。レーダーの研究をしていたパーシー・スペンサーは、ぐうぜんにマイクロ波が熱作用をもたらすことに気づいた。すでにこれを知っていた同僚《どうりょう》もいたようだが、だれもパーシーのように食べ物を加熱調理してみようとは思わなかったのだ。この実験がもとになり、軍需製品《ぐんじゅせいひん》の会社・レイセオン社は、世界初の電子レンジを製品化《せいひんか》したのだ。ただし、かなり巨大《きょだい》で使いにくかったため、家電メーカーが開発を引きつぐことになる。

電子レンジは、電磁波《でんじは》で食べ物を温めている。マイクロ波が食べ物に当たると食べ物の中の水の分子がぶつかりあい、ぶつかったエネルギーで温まるのだ。マイクロ波は、陶器《とうき》やガラスなど水をふくまない物質《ぶっしつ》は通りぬける。

卵《たまご》を電子レンジで温めると破裂《はれつ》するのはよく知られた話。電子レンジでは中心部から温まるため、黄身がふくれて圧力《あつりょく》に耐《た》えられなくなって破裂《はれつ》するのだ。割《わ》った卵《たまご》でも、黄身に穴《あな》を開けたり、ほぐさないと同じことが起こる。

05

5年後のひらめき

失敗→逆転《ぎゃくてん》？

1960年代末、アメリカにて。

「アート、今ちょっと時間あるかい？」

化学メーカーの研究員であるアートは、同僚《どうりょう》のスペンサーに声をかけられるとうれしそうにふり向いた。

「ああ、今度は何を作ったんだい？」

スペンサーは苦笑いを浮《う》かべている。

「じつは失敗作なんだけどね。強力な接着剤《せっちゃくざい》を開発するように言われて、長い間ずっと取り組んでいたんだが。この接着剤《せっちゃくざい》はすごくよくくっつくんだけど、かんたんにはがれてしまうんだ。」

「よくくっつくのにはがれやすい？　なぜそんなことが起こるんだ？」

アートがたずねると、スペンサーは「よく聞いてくれた」とばかりに身を乗り出した。

「不思議に思って、顕微鏡《けんびきょう》で観察してみたんだ。そうしたら、接着剤《せっちゃくざい》の分子が小さなボール状《じょう》になってバラバラになってしまっていることがわかったんだよ。」

「なるほど。それがギュッとまとまれば強力な接着剤《せっちゃくざい》になるってわけだね。」

「理屈《りくつ》の上ではそうなんだけど……うまくいかなくて壁《かべ》にぶつかったままなのさ。でも、何かの役に立たないかと思って、みんなに話して回ってるわけなんだ。」

「そうか。ちょっと考えてみるよ。」

「アイディアがあったら教えてくれ。なにしろこの開発にはずいぶん時間をかけたんだ。ゴミ箱行きにするのはくやしいからね。」

「考えてみる」とは言ったものの、何も思いつかないまま5年ほどの月日が過《す》ぎた、ある日曜日のこと。

その日、アートは教会の礼拝《れいはい》に参加していた。

(今日の讃美歌《さんびか》は267番、『神はわがやぐら』だったな。)

「神はわがやぐら　わが強き盾《たて》……」

歌い出したとき讃美歌集《さんびかしゅう》の間から、ヒラリとしおりが落ちた。

(またか……。)

アートは歌いながら床《ゆか》に落ちたしおりを確認《かくにん》すると、足でふんで自分の方に引き寄《よ》せた。

そのとき。アートはハッとひらめいたのだ。あの失敗作の使いみちを——。


アートは、スペンサーが作った失敗作の使いみちを思いついた。今ではよく使われているその商品とは何だろうか。

解説《かいせつ》

これは事実にもとづく話。アート・フライが考え出したのは貼《は》ったりはがしたりできる「ふせん」である。

アートの提案《ていあん》により、スリーエム（アメリカの化学メーカー）から「ポスト・イット」という商品名でふせんが発売されたのは1980年のこと。日本に上陸したのは1983年である。今では子どもから大人まで、幅広《はばひろ》く愛用されている商品だが、発売当初は「どうやって使うのか」疑問視《ぎもんし》する声も多かったという。

ゼロからものを作り出すだけでなく、失敗作を別の形で役立てることができるのも天才。しおりが落ちて不便に感じたことと5年も前の失敗作を結びつけたひらめきがすごい。また、失敗を隠《かく》さず、周囲《しゅうい》の人にアイディアを求めたスペンサー・シルバーにも学ぶところが大きい。まさに「失敗は成功のもと」を体現《たいげん》するエピソードだ。

06

不思議な光線

危機《きき》↓逆転《ぎゃくてん》？

1895年、ドイツのとある町にて。

ベルタは、このところ夫のヴィルヘルムの様子がおかしいと思っていた。だまって考えこんでいたか思うと、はじかれたようにイスからとび上がって大学の研究室に出かけていく。話しかけても食事をしていても上の空のようだ。

「心配ごとでもあるの？」と聞くと、何か言いたそうに口を開きかけることもあったが、結局は打ち明けてくれない。研究室にこもりきりで、帰ってこない日も多くなった。

（研究者っていうのは変人だってわかってるけど、それにしても度がすぎるわ。）

ベルタは、ため息をついた。

ヴィルヘルムはたしかに、研究に夢中《むちゅう》になりすぎて日常《にちじょう》に支障《ししょう》をきたしがちな、典型的《てんけいてき》な研究者タイプの男であった。

しかし、このときの彼《かれ》は——まったく予想もしなかったおかしな発見に当惑《とうわく》しきっていたのである。


何週間か前のこと。彼《かれ》は実験中に、不思議な光の存在《そんざい》に気づいたのだ。

ヴィルヘルムはそのとき、ガラス管の中を真空状態《じょうたい》にし、高い電圧《でんあつ》をかける実験をしていた。部屋を真っ暗にし、光がもれないようにガラス管を黒い紙でおおって放電させていると……1～2メートルはなれたところに置いてあった蛍光板《けいこうばん》が光っていたのだ。

どうやら、ガラス管から「目に見えない光」のようなものが出ているらしい。

ヴィルヘルムは、その「光」の通り道と思われるところに、1000ページもあるぶあつい本を置いてみた。「光」をさえぎったつもりだったのだ。しかし、蛍光《けいこう》板《ばん》は発光し続けている。

（何か、未知のものがガラス管から発生しているらしい。電磁波《でんじは》の一種だろうか。それとも……。）

ヴィルヘルムは、ついにその「光」にふれてみる決心をした。「光」があると思われるところに手をかざすと。

「うわっ！」

彼《かれ》は、ふつうではない「影《かげ》」を見たのだ。

この日からしばらく、彼《かれ》はこの研究室で何が起きているのかを理解《りかい》しようと必死に実験をくり返した。

「光」を通していろいろなものを撮影《さつえい》し、気づいたことを細かく記録する。

実験中に、予想外のことが起こるのはめずらしくない。そんなとき、ヴィルヘルムは研究者仲間と話しあうものだが、今回のことは軽々《かるがる》しく口に出すのをはばかられた。妻《つま》のベルタにさえも。助手も研究室に入らせなかった。

（だって、だれが信じてくれるだろう？「ヴィルヘルムのヤツはついにおかしくなった」と言われるのが関の山だ。人に話すのは、せめてもう少し考えがまとまってからだ。)

ある日、ベルタはついにガマンができなくなった。

「ヴィルヘルム、何かなやみがあるなら話してちょうだい！　それともわたしに話せないようなことなの？」

「わかったよ、ベルタ。」

ヴィルヘルムは、妻《つま》を研究室につれていった。

そして、ベルタの手を取った。薬指に結婚指輪《けっこんゆびわ》をはめた左手だ。

「ベルタ、ここに手を置いて。きみの手を撮影《さつえい》する。ぼくが何を発見したか、言葉で説明するだけでは信じてもらえそうにないからね。」

ベルタはキツネにつままれたような顔をした。

(ずいぶん深刻《しんこく》な顔をして。手だけを撮《と》るなんて何の意味があるのかしら？)

不思議な光を当てて撮《と》った写真が現像《げんぞう》されると——ベルタは目を見開き、それから心臓《しんぞう》をおさえて言ったのだ。
「ああ、ヴィルヘルム。これは本当にわたしの手なんでしょうね？　わたし、まるで死んでしまったような気がするわ。」

「まるで死んでしまったような気がする」という言葉からどんな写真だったのか推理《すいり》してほしい。ヴィルヘルムが発見した「光」とは何だったのだろうか。

解説《かいせつ》

ベルタの左手の写真には、骨《ほね》と結婚指輪《けっこんゆびわ》だけが写っていた。ヴィルヘルム・コンラート・レントゲンが発見したのは、体の内部をうつすことのできるX線《エックスせん》だったのだ。レントゲンが写真と論文《ろんぶん》を発表すると新聞でも大きく報道《ほうどう》され、一般《いっぱん》の人からも高い関心が寄《よ》せられた。レントゲンはこの発見により、1901年に第1回ノーベル物理学賞《しょう》を受賞《じゅしょう》した。X線《エックスせん》は発見者の名前をとって「レントゲン」とも呼《よ》ばれる。

X線《エックスせん》の特徴《とくちょう》はものを通りぬけることだ。骨折《こっせつ》の検査《けんさ》、やがて心臓《しんぞう》や肺《はい》といった臓器《ぞうき》の検査《けんさ》にも使われるようになる。X線《エックスせん》の発見は、医学や科学を大きく発展《はってん》させた。分解《ぶんかい》することなく物の内部を調べられるので、建物やコンクリートの橋などの内部のひび割《わ》れや、文化財《ぶんかざい》などの組成調査《そせいちょうさ》にも活用されている。

X線《エックスせん》は放射線《ほうしゃせん》の一種であり、大量に浴びるとガンや白血病などの病気になる危《き》険《けん》がある。一般《いっぱん》の人がX線検査《エックスせんけんさ》で浴びる量はわずかなので、心配はない。

07

奇妙《きみょう》な隣人《りんじん》

危機《きき》↓逆転《ぎゃくてん》？

まだ電球や電池などがなかった1750年代のアメリカにて――。

雨がはげしく地面をたたく晩《ばん》のことだった。

チャーリーは暗い窓《まど》の外で、ピカッと光が輝《かがや》くのを見た。

続いてゴロゴロ……ドーンと雷《かみなり》が落ちる音。

チャーリーは顔をゆがめて耳をふさいだ。

（どうか近くに落ちませんように……。）

そう思いながら窓辺《まどべ》に近づいたチャーリーは、信じられない光景を目にして口をポカンと開けた。

（あの変わり者は何をやってるんだろう⁉）

近所に住んでいるベンジャミンが雷鳴《らいめい》のとどろくなか、ずぶぬれになりながらタコあげをしていたのである。


後日、チャーリーがあの夜のタコあげについて聞いてみると、ベンジャミンはうれしそうに説明を始めた。

「チャーリー、よくぞ聞いてくれたね。あの晩《ばん》、わたしは新しい実験に成功したんです。雷《かみなり》から電気をつかまえる実験なんですよ！」

ベンジャミンのあげたタコには、とがった針金《はりがね》がしこまれていた。

「わたしは、雷《かみなり》の正体は電気ではないかと考えていました。電気なら、金属《きんぞく》に引き寄《よ》せられるはずだと思ってね。そして、思った通りの結果になったんですよ。針金《はりがね》が雷《かみなり》の発する光をキャッチし、ぬれたタコ糸の先に結んだカギを通じて……電気をびんの中にためることに成功したのです。」

「はぁ、そうですか。それはすごいですね。」

チャーリーは、ベンジャミンの話はあまりよくわからなかったが、めんどうなので適当《てきとう》にあいづちを打っておいた。

ベンジャミンという男は政治家《せいじか》で、地域《ちいき》のリーダー的な存在《そんざい》だ。博識《はくしき》で、最近は「電気」なるものの研究にのめりこんでいる。

しかし、チャーリーには「電気」が何の役に立つのか想像《そうぞう》もつかなかった。

雷《かみなり》はとにかく不可解《ふかかい》な、おそろしいものだ。

ピカッと光って、轟音《ごうおん》とともに地上に落ちる。

ときには家に落ちて、火事をひき起こすこともある。

(雷《かみなり》というのは、「神の火」なのだ。ときどき建物に落ちたりして災《わざわ》いをもたらすのは、神の怒《いか》りにちがいない。それにふれようとするなんて、ろくでもない研究だ。ベンジャミンがどれだけりっぱな人間だか知らないが、なるべく関わらないようにしておこう。)

チャーリーはベンジャミンの行動を無視《むし》しようと心に決めたものの、彼《かれ》の奇妙《きみょう》な実験に興味《きょうみ》を持たずにいるのは難《むずか》しかった。

そして、ある日のこと。

ベンジャミンが自分の家にはしごをかけ、屋根に長い金属《きんぞく》の棒《ぼう》を取りつけようとしているのを見たときには、ついに好奇心《こうきしん》をおさえきれなくなったのだ。

「ベンジャミン、今度は何を始めたんですか?」

「やあ、チャーリー。これはね……。」

ベンジャミンは金属《きんぞく》の棒《ぼう》をさわりながら、顔をかがやかせた。

「電気というのは、金属《きんぞく》のとがったものに引き寄《よ》せられる性質《せいしつ》があるんです。つまり、この棒《ぼう》を立てておけば、雷《かみなり》がここに落ちるんじゃないかと……。」

「つまり、わざと雷《かみなり》を落とすためにその棒《ぼう》を立てているということですか?」

「その通り! よくわかっていらっしゃる。チャーリー、あなたも実験に協力してくれませんか?」

チャーリーは、ベンジャミンをにらみつけた。

「じょうだんじゃない。まったくあなたのやることはどうかしていますよ! ああ、もう説明なんて何も聞きたくありませんね！」

こう言い放つと、チャーリーはベンジャミンに背《せ》を向けて歩き出した。

（家に雷《かみなり》を落とすなんてとんでもない！　あのおかしな発明家《はつめいか》のせいで、被害《ひがい》をうけたらたまらないぞ。）

チャーリーは、すぐに引っ越《こ》すことを決めた。

彼《かれ》が、ベンジャミンの行動が「多くの人を救《すく》う」偉業《いぎょう》だと認《みと》めるには、それからしばらくの時間を要することになる。

わざと雷《かみなり》を引き寄《よ》せようとするベンジャミンの行動には、どんな意図があったのだろうか。

解説《かいせつ》

この話は実在《じつざい》の科学者、ベンジャミン・フランクリンのエピソードをもとにしたもの。フランクリンの発明とは「避雷針《ひらいしん》」という装置《そうち》で、現在《げんざい》も使われている。

その仕組みはこの通り。数メートルの金属《きんぞく》の棒《ぼう》を建物の上に立て、棒《ぼう》に雷《かみなり》が落ちるようにしむける。チャーリーはこの目的を誤解《ごかい》しているが、避雷針《ひらいしん》に雷《かみなり》が落ちると、導線《どうせん》を伝わって雷《かみなり》の電流を地面に逃《に》がすことができる。つまり、建物自体に雷《かみなり》が直撃《ちょくげき》するのを避《さ》ける効果《こうか》があるのだ。「電気は先のとがったものに引き寄《よ》せられる」「雷《かみなり》は高いところに落ちる」という推測《すいそく》は実験によって証明《しょうめい》された。以降《いこう》、アメリカをはじめ、避雷針《ひらいしん》の設置《せっち》が取り入れられるようになっていく。

ただし、フランクリンの行ったタコで雷《かみなり》の電気をつかまえる実験は絶対《ぜったい》にやってはいけない。これをマネして、感電によって命を落とした科学者はいるのだ。フランクリンが無事だったのはたまたま運がよかったせいだと考えられている。

08

うんこ狂騒曲《きょうそうきょく》

危機《きき》↓逆転《ぎゃくてん》？

ときは江戸《えど》時代。

熊《くま》さんがソロバンをはじいていると、ガラリと戸を開けて仲よしの八五郎《はちごろう》が顔を出した。

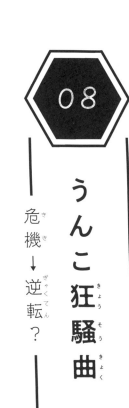

「よう、熊《くま》さん。ずいぶんもうかってるそうじゃねえか。最近はすっかりいっぱしの商売人らしくなったよな。まあ、扱《あつか》ってるのがうんこやおしっこっていうのがおまえらしいけどよ。」

もともと熊《くま》さんはお百姓《ひゃくしょう》さんだった。この時代、経済《けいざい》の中心は米であった。戦国時代とはちがい、武力《ぶりょく》で領土《りょうど》を広げることをしなくなった今——地域《ちいき》を豊《ゆた》かにするには農業の発展《はってん》が必要だった。農民たちは今も税《ぜい》を米で払《はら》っていたが、それ以外に売れる野菜を作るよう命じられた。質《しつ》のよい作物をたくさん作るには、よい土地がなければならない。

そこで、熊《くま》さんは糞尿《ふんにょう》を集める仕事を始めたのである。

動物や人の糞尿《ふんにょう》を肥《こ》やしにして農地に養分を与《あた》える方法は、昔から行われていた。もちろんタダではなく、お金を払《はら》って糞尿《ふんにょう》を買い取る。

熊《くま》さんは、くみ取りの約束を取りつけて計画的に糞尿《ふんにょう》を集め、農民に売りさばく「糞尿《ふんにょう》の問屋」のような仕組みを作ったのだ。遠方に配達するサービスもやっている。

「ところが、八五郎《はちごろう》よ。そううまくも行かなくてよ。最近、オレのまねをするヤツが増《ふ》えてな。そのおかげで、『今度から、他の方に売ることにした。そっちの方が高い値段《ねだん》で買ってくれるから』なんて言い出す野郎《やろう》もいる始末よ。」

「へえ。とんでもねえ時代になったもんだ。自分のうんこ、おしっこにどれだけ価《か》値《ち》があると思ってるんだろうなぁ。」

熊《くま》さんは、ピクリと片眉《かたまゆ》をつりあげた。

「価値《かち》か……。八五郎《はちごろう》、それだよ！　うちはそれでいく。そうとなったらさっそく大名屋敷《やしき》を訪《たず》ねるとするか。大金を出しても契約《けいやく》を取りつけなくっちゃ。」

もくろみが当たり、熊《くま》さんの事業は大成功をおさめた。たくさんの人手が必要となり、八五郎《はちごろう》も熊《くま》さんにやとわれた。八五郎《はちごろう》はサボりの名人だったが、熊《くま》さんは重要なアイディアをくれた八五郎《はちごろう》をしかることは一度もなかったという。


熊《くま》さんは大名屋敷《やしき》を訪《たず》ね、糞尿《ふんにょう》を買い取る約束をした。糞尿《ふんにょう》を売る業者はほかにもいたが、なぜ熊《くま》さんは成功をとげたのだろうか。

解説《かいせつ》

熊《くま》さんは、八五郎《はちごろう》の「価値《かち》」という言葉にヒントを得《え》た。糞尿《ふんにょう》なんてだれのものでも同じように思えるが、この時代は身分による収入格差《しゅうにゅうかくさ》が大きい。大名など身分の高い人と、貧《まず》しい庶民《しょみん》の食事内容《ないよう》には大きな差があった。熊《くま》さんは、栄養のあるものを食べている大名の糞尿《ふんにょう》は、肥《こ》やしとしても高級品であると気づいた。そこで、糞尿《ふんにょう》をランク別に評価《ひょうか》し、値段《ねだん》に差をつけて買い取り販売《はんばい》すると、大当たり。いわば「ブランド糞尿《ふんにょう》」といったところだ。

これは史実《しじつ》をもとにした話。糞尿《ふんにょう》のランクは上から幕府《ばくふ》や大名屋敷《やしき》のもの、公衆《こうしゅう》便所、庶民《しょみん》の住む長屋の便所。そして、一番下が、牢獄《ろうごく》や留置所《りゅうちじょ》だ。身分制度《みぶんせいど》の厳《きび》しい時代だけに、実際《じっさい》の「質《しつ》」よりも「イメージ」重視《じゅうし》だったようだ。ちなみに、庶民《しょみん》の糞尿《ふんにょう》は、今の物価《ぶっか》に換算《かんさん》すると、たる1本につき500円くらいだったという。

09

金の王冠《おうかん》の謎《なぞ》

危機《きき》↓逆転《ぎゃくてん》？


古代ギリシア。今から2000年以上昔のこと。

数学者のアルキメデスは金の王冠《おうかん》が置かれたテーブルをはさんで、王と向かいあっていた。

「そなたに来てもらったのはほかでもない。この王冠《おうかん》について調べてほしいことがあるのだ。」

「と、申されますと？」

王は、苦々《にがにが》しい表情《ひょうじょう》で話しはじめた。

「わしは、ある金細工職人《しょくにん》に金の王冠《おうかん》を作るよう頼《たの》んだ。材料とする金の塊《かたまり》をわたして、できあがったのがこれなのだが。」

アルキメデスは、さしだされた王冠《おうかん》をしげしげとながめた。

「すばらしい冠《かんむり》ですね。」

「だがな、ちょっと気になるうわさを聞いたのだ。職人《しょくにん》が、わしがわたした金塊《きんかい》の一部を盗《ぬす》んだらしいとか……。バレないように盗《ぬす》んだのと同じ重さの銀を混《ま》ぜてこの王冠《おうかん》を作ったんじゃないかという疑《うたが》いがあるのだ。そこで、アルキメデスよ。そなたに、この王冠《おうかん》が金だけでできているかどうか調べてほしいのだ。」

「わかりました。方法を考えてみます……。」

王の命令だからなんとかしなければいけないが、アルキメデスは困《こま》りはてていた。

「あら、そんなの王冠《おうかん》の重さをはかったらわかるんじゃないの？」

話を聞くと、アルキメデスの妻《つま》は目をパチクリさせた。

「王冠《おうかん》と、王が職人《しょくにん》にわたした金塊《きんかい》の重さは同じなんだ。でも、それじゃ、混《ま》ぜ物《もの》がされていないかはわからない。同じ重さになるように、ほかの金属《きんぞく》を混《ま》ぜてあるのかもしれないんだ。」

アルキメデスはさらに説明を続けた。

「手がかりになりそうなのは、同じ金属《きんぞく》でも密度《みつど》にちがいがあることだ。たとえば金と銀では、金の方が密度《みつど》が大きい。同じ重さの金と銀では、銀の方が体積が大きくなるのだ。でも、王冠《おうかん》を外から見ただけじゃ、それはわからない。」

「密度《みつど》ってなあに？」

アルキメデスはパンを手に取ると、お皿の上のチーズの塊《かたまり》と同じくらいの大きさになるようにちぎった。

「このパンとチーズの大きさはほぼ同じだね。どっちが重い？」

「チーズに決まってるわ。」

「そうだね。チーズの方が密度《みつど》が高いからだ。」

「そういうことなのね。わかったわ！」

「王冠《おうかん》を溶《と》かしていいなら、証明《しょうめい》はかんたんなんだ。重さが同じで素材《そざい》も同じなら、体積も同じになる。重さが同じでも体積がちがえば、素材《そざい》はちがうことになる。最初にわたした重さの金塊《きんかい》も液体《えきたい》にもどして、桶《おけ》で測《はか》って比《くら》べればいいわけだ。でも、そうはいかないし……。」

それから何日も何日もアルキメデスは「王冠《おうかん》を溶《と》かさないで、体積を測《はか》る方法」を考え続けた。

妻《つま》は、そんな夫の姿《すがた》を見かねて言った。

「家にこもりきりじゃ、いい考えも浮《う》かばないわよ。浴場にでも行ってきたら？」

「そうだなぁ……。」

アルキメデスは妻《つま》の言うことを聞いて、公衆浴場《こうしゅうよくじょう》へ向かった。

（そういえば、ここに来るのも久《ひさ》しぶりだな。）

熱いお湯に勢《いきお》いよく体をしずめると、お湯がザブンと浴そうの外にあふれ出す。

その瞬間《しゅんかん》、アルキメデスは立ち上がった。

「わかった！　わかったぞ！」

そして、すぐに浴そうから上がると裸《はだか》のまま外に飛び出したのである。

アルキメデスは、家に帰って実験を行った。
そして後日、王のもとに出かけたアルキメデスは、王冠《おうかん》に混《ま》ぜ物がしてあることを証明《しょうめい》したのである。

アルキメデスはお風呂《ふろ》に入ったときに、王冠《おうかん》の体積を測《はか》る方法を思いついた。それはどんな方法だろうか。

解説《かいせつ》

アルキメデスは、王に同じ大きさの桶《おけ》を2つ用意してもらい、それぞれ満杯《まんぱい》になるように水をはった。片方《かたほう》には、王冠《おうかん》を入れる。もう片方《かたほう》には、王が職人《しょくにん》にわたしたのと同じ重さの金塊《きんかい》を入れる。あふれた水の量を比《くら》べると、王冠《おうかん》の方が多かったのである。この実験で王冠《おうかん》の方が体積が多かったことがわかり、職人《しょくにん》を問いただすと、銀を混《ま》ぜていたと白状《はくじょう》したのである。金1キロは約52立方センチメートル、銀1キロは約95立方センチメートルと、重さは同じでも体積はかなりちがうのだ。

アルキメデスがお風呂《ふろ》に入ったときに湯があふれるのを見て、この法則《ほうそく》を発見したのは歴史上《れきしじょう》有名なエピソードである。

10

ヨーグルト戦争

危《き》機《き》→逆《ぎゃく》転《てん》？

プラスチックの容器《ようき》にスプーンを入れ、ヨーグルトを口に運ぶ。

とろりとして舌《した》ざわりがよく、さわやかな酸味《さんみ》が広がる。

「うん、実においしいヨーグルトだ。」

わたしは満足げにうなずいた。これは、わたしが社長を務《つと》めるW《ダブリュー》乳業《にゅうぎょう》から初めて売り出されるヨーグルトなのである。

会議室に集まった社員たちもライバル会社のヨーグルトと食べくらべ、それぞれに感想を口にしているが、ひいき目ではなくほかの会社の製品《せいひん》に負けてはいないようだ。

だが、正直に言えばビックリするほどおいしいわけでもない。

まあ、ふつうのプレーンヨーグルトに個性的《こせいてき》な味は必要ない。

万人《ばんにん》に愛されるクセのない味を目指した結果である。

「さて、このヨーグルトの価格《かかく》についてだが……。」

わたしは手元の資料《しりょう》に目を落とした。

市場調査《ちょうさ》によると、一番売れているのはZ社《ゼット》のヨーグルトだ。これは400ミリリットル入りで200円。

次に売れているS社《エス》のヨーグルトは、同じ400ミリリットル入りで220円だ。20円高いけれど、高級なイメージがあるS社《エス》の商品の中では「安い」印象《いんしょう》を与《あた》える。

わが社のヨーグルトは「400ミリリットル入りで200円」で販売《はんばい》する予定になっている。

「わが社の商品は、一番人気のZ《ゼット》社と容量《ようりょう》も値段《ねだん》もまったく同じだ。Z《ゼット》社は歴史《れきし》が古くてブランド力が強い。同じ値段《ねだん》なのは不安がある。少しだけ安くするわけにはいかないのかね。」

わたしが言うと、開発部のニシムラさんがすぐに口を開いた。

「社長、この件《けん》についてはは前にも話しましたよね。たとえばもっと安いヨーグルトを売っているメーカーもあります。でも、うちは品質《ひんしつ》のよい原材料を使って、高いクオリティの商品を作ることにしたわけです。胸《むね》をはって200円で勝負するべきです。」

すると、ピーンと張《は》りつめた空気をなごませるように、宣伝部《せんでんぶ》のオカさんがゆったりと話しはじめる。

「とは言ってもねぇ……わたしもZ《ゼット》社と同じ値段《ねだん》なのは不利だと思いますよ。値段《ねだん》を少しだけ下げるか、あるいは200円のままで量を増《ふ》やした方がいいんじゃないでしょうか。」

オカさんにつられたように、女性社員《じょせいしゃいん》が次々《つぎつぎ》に発言し始めた。

「いつもZ《ゼット》社のを買ってる人に手に取ってもらうには、きっかけが必要ですよ。」

「ヨーグルトを買うのは女の人の方が多いですよね。女性《じょせい》の方がスーパーでも細かく値段《ねだん》を見てますよ。小麦粉《こむぎこ》やバターを買うときにも、グラム当たり何円かチェックして、お得《とく》な方を選びますし。」

「同じ容量《ようりょう》で10円安かったら買いたくなりますよ。」

「そうそう。400ミリリットル入りで190円にできないんですか？」

ニシムラさんはムッとした顔になった。

「200円の商品を10円下げるって、大変なことですよ。200円で売ることを考えて、材料や製造《せいぞう》にかかる資金《しきん》をやりくりしてきたんだから。10円も下げたら損《そん》しちゃう！」

「じゃあ、容量《ようりょう》も減《へ》らしますか？　380ミリリットル入りで190円にするとか。」

オカさんが言ったが、これにはみんな反対した。「少ないから安いのが見え見えだ」という理由だ。

議論《ぎろん》が行き詰《づ》まってシーンとしていたとき、それまでだまっていた広告部《こうこくぶ》のヒラオさんが口を開いた。

「では、400グラム入りで190円にしたらどうでしょう?」

みんなは、ヒラオさんの言ったことの意味がわからないようでポカンとしている。

わたしは拍手《はくしゅ》した。

「ヒラオさん、すばらしいアイディアだ! よし、それで行こう!」


主人公たちは「400ミリリットル入り・200円」から値下《ねさ》げするかどうかを検討《けんとう》したが、10円でも下げると損《そん》になるという。「400グラム入り・190円」はなぜ、すばらしいアイディアなのだろうか。

解説《かいせつ》

ミリリットルは体積（容積《ようせき》）の単位で、グラムは重さの単位である。

水の場合、100ミリリットルは100グラム。だが、食品や素材《そざい》によっては、こうはならない。ヨーグルトの場合、水よりも密度《みつど》が高く100ミリリットルは105グラムなのだ（平均的《へいきんてき》な数値《すうち》）。アイスクリームは空気をたくさんふくんでいるので、100ミリリットルはおおよそ70〜90グラムくらいになるものが多い。

ヨーグルト400ミリリットルは、420グラム。ヒラオさんの提案《ていあん》の意味は「400グラム」と表記することで（実際《じっさい》には20グラム少ないのだが）「400」という数字の印象《いんしょう》を変えないことにある。

ちなみに、「400ミリリットル（420グラム）」で200円＝100グラムあたり約47・6円。「400グラム」で190円＝100グラムあたり47・5円。

グラム当たりの値段《ねだん》はほぼ同じだが、売り場に並《なら》んだときには「10円安い」かのように思わせることができる、ちょっとしたマジックなのである。

11

世界一硬《かた》い石

危機《きき》→逆転《ぎゃくてん》？

今から500年以上昔のこと。ベルギーのアントワープにて。

ベルケムの目の前の作業台には、透明《とうめい》な石がいくつも転がっている。ダイヤモンドの原石である。

（何百年も昔からの課題を、オレみたいなかけ出しの職人《しょくにん》が解決《かいけつ》するなんて無理な話だよなぁ。）

ベルケムは若《わか》い宝石職人《ほうせきしょくにん》だ。弟子《でし》入りした親方の娘《むすめ》に恋《こい》をし、やがて両想いになった。勇気を出して親方に「お嬢《じょう》さんと結婚《けっこん》させてください」と申し出ると、親方はこんな条件《じょうけん》を出したのである。

「そうだな。おまえがダイヤモンドを磨《みが》くことができたら結婚《けっこん》を許《ゆる》そう。」


この時代、ダイヤモンドの価値《かち》は低かった。

現代《げんだい》では「磨《みが》けば光るダイヤの原石」という言い方があるが、磨《みが》かれていないダイヤの原石は輝《かがや》きのない、透明《とうめい》の石ころでしかない。このころは、世界一硬《かた》い物質《ぶっしつ》であるダイヤを磨《みが》く方法は発見されていなかったのだ。その硬《かた》さから「力の象徴《しょうちょう》」とみなされ、権力者《けんりょくしゃ》たちはお守りとして身につけたが、美しくはない。

（これを磨《みが》くことができたら、ピカピカになるんだろうな。サファイアやルビーより人気が出るかもしれないな。そうしたら大金持ちだ！）

ベルケムは血眼《ちまなこ》になって難題《なんだい》に取り組んだが、さっぱり方法が見つからない。ダイヤモンドは衝撃《しょうげき》に弱いので強く打ちつけて割《わ》ることはできるが、磨《みが》くどころか形を整えることさえできない。

（ダイヤモンドより硬《かた》いものはないと言われてるのに、磨《みが》けるわけがないよ。結局、親方はオレとお嬢《じょう》さんの結婚《けっこん》を許《ゆる》す気なんてないってことだ。オレは身分の低い家の生まれだしなぁ。)

ベルケムはくやしまぎれに、思い切りダイヤモンドをたたきつけた。

そのとき。

(何か光った?)

一瞬《いっしゅん》、チカッと火花が散ったのだ。

(もしかしたら……。)

ダイヤを磨《みが》く方法を発見したベルケムは巨額《きょがく》の報酬《ほうしゅう》を得《え》ることになる。そして、親方からも結婚《けっこん》を許《ゆる》されたのである。


ベルケムはどうやってダイヤモンドを磨《みが》いたのだろうか。

解説《かいせつ》

これは実話をもとにした話。ベルケムは、ダイヤモンドを使ってダイヤモンドを磨《みが》く方法を発見した最初の人物なのである。ベルケムが投げつけた原石はぐうぜんにもほかのダイヤモンドの原石に当たって割《わ》れた。そのときに火花が散ったのを見て、ヒントを得《え》たのだ。ただ割《わ》れるだけでなく、火花が散ったということは強い摩《ま》擦《さつ》が生じたという証拠《しょうこ》だ。

ベルケムは、粉末状《ふんまつじょう》のダイヤモンドを回転する台に接着《せっちゃく》し、これを高速回転させてダイヤモンドを研磨《けんま》する方法を編《あ》み出した。緻密《ちみつ》なカットが施《ほどこ》され、表面がなめらかに磨《みが》かれたダイヤモンドの輝《かがや》きに、貴族《きぞく》たちは夢中《むちゅう》に。一躍《いちやく》大流行し、以来、ダイヤモンドは高級な宝石《ほうせき》の代名詞《だいめいし》となったのだ。ベルケムの名は広まり、王様からもダイヤ加工を依頼《いらい》されている。「ローズカット」と呼《よ》ばれる、真ん中がバラのつぼみのように盛《も》り上がったカットの方法を完成させたのもベルケムである。

12

上空1万メートル、水分を調達せよ！

危機《きき》→逆転《ぎゃくてん》？

今から60年ほど昔のこと。

副操縦士《ふくそうじゅうし》は、青ざめた顔で操縦室《そうじゅうしつ》にもどってきた。

「機長、やっぱり片側《かたがわ》の車輪が格納《かくのう》されていませんでした。」

機長は、制御盤《せいぎょばん》を指さして大きく息をはいた。

「そうか……。」

航空機《こうくうき》が飛び立ったのち、本来なら格納《かくのう》される車輪がブラブラしているとなると

──着陸と同時に車輪は引っこみ、胴体着陸《どうたいちゃくりく》することになってしまうのだ。

「油圧系統《ゆあつけいとう》の圧力《あつりょく》が大幅《おおはば》に下がっているのが原因《げんいん》だろうな。」

「ど、どうしましょう。」

「あわてるな。油圧機《ゆあつき》を満たせば圧力《あつりょく》は上がる。そうすれば少なくとも車輪は固定されるから、無事に着陸できるはずだ。」

「あ……そうか。そうですね。でも、よぶんの油なんて積んでませんよ。」

油圧《ゆあつ》は、かんたんに言うと油の圧力《あつりょく》をエネルギーにして機械を動かす仕組みだ。

「おい、これまで何を勉強してきたんだ。水でいいんだ。機内の飲み物をできるだけ集めて注入しろ！」

「わかりました、ただちに！」

副操縦士《ふくそうじゅうし》は今つけたばかりのベルトをまたはずして、サッと立ち上がる。冷静に考えれば当たり前のことだった。水を使うと気温によって凍《こお》ったり、あるいは蒸発《じょうはつ》してしまったり、サビる可能性《かのうせい》があるので油が使われているのだ。

副操縦士《ふくそうじゅうし》は乗客用のお茶を集めて油圧機《ゆあつき》に注入したが、事態《じたい》は改善《かいぜん》しなかった。

小型機《こがたき》で乗客が少ないため、用意されたお茶はたいした量ではなかったのである。

「なにしろ乗客20名ですからね……。」

副操縦士《ふくそうじゅうし》はうつむいて報告《ほうこく》した。じっとりと手が汗《あせ》ばんでくる。飛行機が胴体着《どうたいちゃく》陸《りく》して爆発《ばくはつ》する……そんな場面が頭からはなれなくなっていた。

しかし、機長は副操縦士《ふくそうじゅうし》に笑顔《えがお》を向けて言ったのだ。

「だいじょうぶ。まだ策《さく》はある。オレとおまえと客室乗務員《じょうむいん》と……乗客が20名もいれば十分だ。」

機長はどんな策《さく》を考えたのだろうか。

解説《かいせつ》

機長が考えた作戦は、尿《にょう》を集めることである。これは本当にあった話。実際《じっさい》、自分たちの分だけでは足りず、乗客にも協力を求めたという。結果、油圧機《ゆあつき》はいっぱいになり、機長の思惑《おもわく》通り、車輪を固定することに成功したのだ。

航空機《こうくうき》が飛行する際《さい》は車輪を収納《しゅうのう》するのが一般的《いっぱんてき》だが、車輪を出しっぱなしのまま飛ぶタイプのものもある。空を見上げて飛行機のタイヤが目に入っても、事故《じこ》とは限《かぎ》らないのでご安心を。

ところで、ボヤを尿《にょう》で鎮火《ちんか》したケースや、漂流中《ひょうりゅうちゅう》に尿《にょう》を飲んで生き延《の》びた例もある。尿《にょう》はいざというときの水分として役に立つと覚えておこう。

13

ストリートレース

危《き》機《き》→逆《ぎゃく》転《てん》？

ときは1950年代。アメリカの片田舎《かたいなか》の町にて。

「ケント、あの車はラルフじゃ……。」

モーリーがこう言いかけると同時に派手《はで》なクラクションが鳴ったので、ケントは車をみがく手を止めてふり返った。

「よう、ケント。」

白い車の運転席から顔を出したのは、高校のクラスメートのラルフだ。ラルフは車から降《お》りて、ケントたちのそばにやって来た。

「へえ。おまえ、免許《めんきょ》持ってたんだな。知らなかったよ。」

「まあ、まだ免許《めんきょ》を取って2か月くらいだしね。」

ケントがこう言うと、ラルフはニヤッとして言ったのだ。

「なあ、オレと勝負しねえか？　ストリートレースはスリル満点だぜ。」

ストリートレースが流行《はや》っているのはケントも知っていた。やんちゃな若者《わかもの》たちが直線の公道で行う、数百メートルほどのレース。2台同時にスタートし、ゴールに早く到達《とうたつ》した方が勝ちというシンプルなものだ。

「でも、公道でレースをやるなんて危《あぶ》ないだろ？」

ケントが言うと、ラルフは鼻で笑った。

「優等生《ゆうとうせい》は言うことがちがうね。レースをやるのは農場の裏手《うらて》の道路だ。あそこはだれも通りゃしねえよ。そんなこと言って、おまえ、本当はこわいんだろう？」

ケントはラルフをにらみつけた。ケントは賢《かしこ》い青年だが、負けん気の強いところもあった。こんなふうに言われて、だまってはいられない。

「わかった、やるよ。やってもいいけど、一つ約束してくれ。ぼくが勝ったら、きみはレースをやめること。」

「わかった。じゃあ、オレが勝ったら……おまえは卒業パーティーを欠席するっていうのはどうだ？」

ケントは一瞬《いっしゅん》、返事につまった。ケントは、卒業パーティーでデイジーという女の子をエスコートする約束をしている。実はラルフが先にデイジーに申しこんでふられたといううわさが広まっていて――ラルフはケントをねたんでいるのだ。

「いいよ、それで。」

ケントがこう言ったので、横でハラハラしながら聞いていたモーリーはびっくりしてしまった。

「ケント、バカバカしいことはやめろよ。」

「でも、臆病者呼《おくびょうものよ》ばわりされるのはいやだからね。」

モーリーはため息をついた。見たところ、2人の車の性能《せいのう》はあまり変わりがなさそうではある。ラルフもえらそうな口をきいているが、特に運転がうまいわけではない。彼《かれ》は、自分が勝てそうだとふんだ相手にしか挑戦《ちょうせん》しないのだ。

それから、ケントは近くでバスケットボールをしていた少年たちに、審判役《しんぱんやく》を頼《たの》んだ。少年たちはおもしろい見世物に参加できるのを喜《よろこ》んで、すぐに承知《しょうち》した。

「この子たちはどっちの味方でもないから、公平だな。」

ケントは明るく話しかけたが、ラルフはそっぽを向いている。

モーリーは、疑《うたが》ぐり深いまなざしでラルフを観察した。

（もしかするとラルフは自分の仲間にゴール判定《はんてい》をやらせるつもりだったのかもな。勝負がきわどければ、ズルできるし。）

「じゃあ、そろそろ出発するか。オレのあとについてきてくれ。」

自分の車の方に向かうラルフを、ケントが呼《よ》びもどした。

「ちょっと待って。大事なことを忘《わす》れてた！　きみの車、ガソリンは十分なんだろうね？　ガソリンはたっぷりあるから、ここで満タンにしていかないか？」

「え？　タダで？」

「もちろん。これはパパが買ってる上等のガソリンなんだ。条件《じょうけん》は公平じゃないと、ぼくも後味が悪いからね。」

上等のガソリンと聞くと、ラルフはうれしそうな顔になる。

ケントはガレージからタンクとポンプを運んできて言った。

「遠慮《えんりょ》しないで、満タンにしていってくれよ。」


レースはわずかな差でケントが勝利した。

後からモーリーが「自信があったのか？」と聞くと、ケントはこう答えたのだ。

「ズルと言えるかどうか微妙《びみょう》なところだね。ぼくがやったのは、ちょっと有利になる程度《ていど》のことだよ。」


ケントはレースを有利に運ぶために、何を仕組んだのだろうか。

解説《かいせつ》

ラルフはケントにすすめられ、「上等なガソリンをタダで入れられる」と喜《よろこ》んで、ガソリンを満タンにしてしまった。ラルフの車にはガソリンが100リットルほど、重さにして約75キロ入る。一方、ケントは自分の車にガソリンを10リットルしか入れていなかったのだ。車のスペックや速度によって異《こと》なるが、ガソリン1リットルで5〜10キロメートルくらいは走行できる。ラルフは、ケントの10倍の「おもり」を積んで走ることになったわけである。

ストリートレースといわれる公道レースは1950年代ごろから、アメリカの若《わか》者《もの》の間で流行したが、公道を使った無許可《むきょか》のレースは違法《いほう》。迷惑行為《めいわくこうい》、犯罪行為《はんざいこうい》に当たるので絶対《ぜったい》にやってはいけない。自転車や自動車のレースで公道が使用される場合もあるが、もちろん道路の使用許可《しようきょか》がなくてはできない。

14

オレは飲んでない

危機《きき》→逆転《ぎゃくてん》？

ブライアンは、警察病院《けいさつびょういん》の一室で検査《けんさ》の結果を待っていた。

ブライアンはさっき車を運転していたところをパトカーに停《と》められた。飲酒運転を疑《うたが》われたのである。

警察官《けいさつかん》はその場で、息の中からアルコール分を調べる検査《けんさ》を求めてきたが、ブライアンはそれを断《ことわ》った。自信を持って「一滴《いってき》も飲んでいない」と断言《だんげん》できるからだ。

そのせいで、警察病院《けいさつびょういん》に連れてこられ、血液《けつえき》を採取《さいしゅ》されることになったのだが。

(大ごとになってしまったけど……頭ごなしに人を疑《うたが》ってかかる態度《たいど》には抵抗《ていこう》した方がいい。ちゃんと意思表示《いしひょうじ》をすることは市民の務めだからな。)

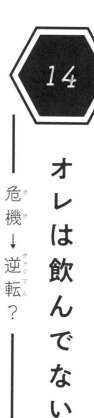

ブライアンは、そんなふうに思っていたのである。

ところが、検査《けんさ》の結果は驚《おどろ》くべきものだった。

「あなたの血液《けつえき》からはアルコール分が検出《けんしゅつ》されました。飲酒運転と判定《はんてい》される数値《すうち》を軽くオーバーしていますね。」

トマス医師《いし》に検査《けんさ》結果表を見せられたブライアンは憤慨《ふんがい》した。

「これ、だれかのデータと入れ替《か》わってるんじゃないですか？　今日、ぼくが口にしたのはコーヒーとパンだけですよ。」

そばに立っていた警察官《けいさつかん》は、イライラしたように言った。

「れっきとした証拠《しょうこ》があるのに飲酒運転を認《みと》めないんですか？　車もちょっと横にフラついていましたよ。」

「それは、ちょっと目まいがしたからです。ときどき、そういうことがあるんですけど。」

トマス医師《いし》は、ブライアンの顔をのぞきこんだ。

（ときどき目まいがすると言うが、何か病気でもあるのか？　いや、でも目が少しトロンとしているし……。）

「この血中アルコールの数値《すうち》から見ると、ビールを3杯《ばい》くらい飲んだ計算になりますね。」

「そんなわけがあるか！　一滴《いってき》も飲んでないって言ってるだろうが！」

興奮《こうふん》して立ち上がったブライアンを、警察官《けいさつかん》があわてて取り押《お》さえる。

トマス医師《いし》は冷静にメモを取りながら考えた。

（やはり酔《よ》っぱらってるようだ。しかし、そんなに飲んでおきながら堂々《どうどう》としらばっくれるなんて、どういう神経《しんけい》をしてるんだ？）

「本当なんだ。信じてくれよ！　オレは酒なんか飲んでない！」

ブライアンは、さらに大声でわめき始めたが、ハッとしてトマス医師《いし》に向き直る。

「わかった。オレは夢遊病《むゆうびょう》なのかも。夢遊病《むゆうびょう》って眠《ねむ》っている間にうろつき回って、その間にやったことは覚えていないんでしょう？　きっとそれだ。」

「うーん、そうですねぇ……。」

トマス医師《いし》は、ブライアンを落ち着かせるためにあいまいに言ったが、その可能《かのう》性《せい》は低いと思った。無意識《むいしき》のうちに飲んだとしても、大量の空きカンなどがあれば気がつかないはずがない。

そのとき、診察室《しんさつしつ》の奥《おく》の仕切りの向こうからハミルトン医師《いし》が現《あらわ》れた。彼《かれ》は書類整理をしながら、一部始終を聞いていたのだ。

「きみ、これまで何か病気にかかったことは？　今、服用している薬はあるかい？」

ブライアンはすがるような目で、ハミルトン医師《いし》をながめた。

「病気はないです。薬もめったに飲まないし。1年くらい前に工場で指を深く切って、化膿《かのう》どめに処方《しょほう》された抗生物質《こうせいぶっしつ》を飲んだのが最後かな。」

「なるほど。今日食べたものは何でしたっけ？」

「コーヒーとパン。朝も昼もそれだけです。時間がなくってね。」

ハミルトン医師《いし》は、指でトントンとデスクをたたいた。

「ふむ、コーヒーとパンか。くわしい検査《けんさ》をしてみよう。これだけ言うんだ。もしかしたら、この人は本当にお酒を飲んでいないのかもしれない。」

トマス医師《いし》はハミルトン医師《いし》の目の前に検査《けんさ》結果表をつきつけてささやいた。

「ハミルトン先生。こんな酔《よ》っぱらいの言うことを信じるんですか？」

「アルコールをとったんじゃなければ、体の中でアルコールができたのかもしれない。」

「まさか。」

トマス医師《いし》は鼻で笑ったが、ハミルトン医師《いし》はいたってマジメに言った。

「可能性《かのうせい》がないとはいえないよ。われわれ医者というものは、長い歴史《れきし》の中で信じられないような症例《しょうれい》を発見してきたんだからね。」


ブライアンは、お酒はもちろんアルコール分のふくまれたものをとっていない。体の中でアルコールができることがありうるのだろうか。

ありうる。くわしい検査《けんさ》の結果、ブライアンがお酒を飲まなかったことは証明《しょうめい》された。ブライアンは、体内でアルコールが醸造《じょうぞう》されてしまう特殊《とくしゅ》な症状《しょうじょう》を起こしていたのである。この病気は「自動醸造症候群《じどうじょうぞうしょうこうぐん》」と呼《よ》ばれるもの。腸内《ちょうない》に生きた酵母《こうぼ》が住みついており、パンなどの炭水化物をとると、その糖分《とうぶん》が発酵《はっこう》してアルコール成分を作り出してしまうのだ。つまり、体内にアルコール工場があるのと同じ。一《いっ》滴《てき》もお酒を飲まなくても飲んだのと同じ状態《じょうたい》になってしまう。

ブライアンの体の中で起こったことは以下の通り。1年前に強い抗生物質《こうせいぶっしつ》を飲んだときに、消化器官の細菌環境《さいきんかんきょう》に変化が起きた。そこへ、たまたま生きたイースト酵母《こうぼ》を摂取《せっしゅ》したために、消化器官内で酵母《こうぼ》が繁殖《はんしょく》してしまったのだ。

ブライアンは腸内環境《ちょうないかんきょう》を正常《せいじょう》にする治療《ちりょう》を受けて無事に改善《かいぜん》、自分を信じてくれたハミルトン医師《いし》に深く感謝《かんしゃ》した。薬の影響《えいきょう》だけでなく、過度《かど》なダイエットやストレスなどで腸内環境《ちょうないかんきょう》が乱《みだ》れて発症《はっしょう》する例もあるそうだ。

15

雌《め》馬《うま》作戦

危《き》機《き》→逆《ぎゃく》転《てん》？

ときは戦国時代。

「定範《さだのり》様。はばかりながら、意見を述《の》べさせていただきます。わが城の備蓄《びちく》はもう残りわずかになりました。これでは敵《てき》に攻《せ》めこまれる前に全員飢《う》え死にしてしまうかもしれません。」

播磨《はりま》（現在《げんざい》の兵庫県神戸市《ひょうごけんこうべし》）の武将《ぶしょう》である淡河定範《おうごさだのり》は、家老の訴《うった》えをだまって聞いていた。

敵方《てきがた》である羽柴秀吉《はしばひでよし》（のちの豊臣秀吉《とよとみひでよし》）の軍に比《くら》べると、ここには兵が少ない。まともにぶつかってはひとたまりもないだろう。そう考えた定範《さだのり》はひとまずひたすら守りをかため、城にこもる籠城《ろうじょう》作戦を選んでいたのだ。

敵《てき》はそれを察知すると、新たな作戦をしかけてきた。周囲《しゅうい》の寺や農民を襲撃《しゅうげき》し、淡河城《おうごじょう》が食料を補給《ほきゅう》する道を絶《た》ったのである。食べるものに困《こま》って弱って出てくるのを待つ方が手っ取り早いし、心理的に追い詰《つ》める効果《こうか》も十分にあった。

「心配するな。わたしにも策《さく》はある。」

家老はパッと顔を輝《かがや》かせた。

「それは、どのような？」

「まずは、周囲《しゅうい》の土地に『淡河城《おうごじょう》のまわりで、せっせと家来たちが何か作業をしている』といううわさを流すように。それから、家臣たちには近隣《きんりん》の村を回ってできるだけたくさんのメスの馬を集めさせよ。」

家臣たちはすぐに行動を起こしたが、よくわからないのは「メスの馬を集めよ」という命令だ。戦《いくさ》に使われるのはオスの馬と相場が決まっている。

しばらくして、例の「うわさ」が広まると――羽柴軍《はしばぐん》の者たちは「淡河《おうご》の者たちは籠城《ろうじょう》をやめ、しびれを切らして城の外に出てきている」と信じこんだ。

「さあ、今がチャンスだ。攻《せ》め入るときが来たぞ！」

羽柴軍《はしばぐん》は馬を駆《か》り、淡河城《おうごじょう》へと大挙した。

彼《かれ》らは、はるかに少ない兵しか持っていない淡河軍《おうごぐん》に負けるはずはないと確信《かくしん》していた。まさか、ボロボロになって退却《たいきゃく》するはめになるとは、だれ一人として想像《そうぞう》していなかったのだ。


羽柴軍《はしばぐん》は、淡河軍《おうごぐん》よりもはるかに多い軍勢《ぐんぜい》で淡河城《おうごじょう》に攻《せ》め入った。淡河軍《おうごぐん》は、なぜ羽柴軍《はしばぐん》を撃退《げきたい》できたのだろうか。

解説《かいせつ》

うわさを流して、わざと羽柴軍《はしばぐん》が攻《せ》めてくるようにしむけた作戦は大当たり。羽《は》柴軍《しばぐん》が馬に乗り、大挙してやってくると淡河軍《おうごぐん》はここぞとばかりに集めてあったたくさんのメス馬を放した。羽柴軍《はしばぐん》の馬たちはすべてオスの馬だったので、メスの馬たちに出会うと大興奮《だいこうふん》。思い思いにメスの馬を追い回したため、百戦錬磨《ひゃくせんれんま》の武士《ぶし》たちも馬をコントロールできなくなった。その混乱《こんらん》を見計らって淡河軍《おうごぐん》が襲《おそ》いかかったので、羽柴軍《はしばぐん》は逃《に》げ帰るしかなかったのだ。

これは史実《しじつ》をもとにした話。淡河定範《おうごさだのり》はさすがに冷静で、とりあえずピンチは脱《だっ》したものの「羽柴軍《はしばぐん》はまたすぐに、もっと大勢《おおぜい》で攻《せ》めてくるはず」と考え、自分の城を焼き払《はら》ってしまった。そして、定範《さだのり》の主君のいる城へ向かったという。結局はこの後まもなく、名を上げることなく没《ぼっ》したそうだが、意外な作戦で相手をだしぬいた知将《ちしょう》として語り伝えられている。

16

王様のアイディア

危《き》機《き》→逆転《ぎゃくてん》？

ときは古代。紀元前《きげんぜん》525年。

「エジプト帝国《ていこく》を征服《せいふく》するのもいよいよ時間の問題だな。」

ペルシア帝国《ていこく》のカンビュセス2世は満足げにつぶやいた。ペルシア帝国《ていこく》が急激《きゅうげき》に発展《はってん》をとげたのは彼《かれ》の父、キュロス王の時代のことである。キュロス王は他国に支《し》配《はい》されていたペルシアを独立《どくりつ》させると、すぐれた政治力《せいじりょく》を発揮《はっき》して国を大きくしていった。そして次々《つぎつぎ》に近隣諸国《きんりんしょこく》を侵攻《しんこう》し、領土《りょうど》を広げていったのである。

父から王位を継《つ》いだカンビュセス2世は、さらにペルシア王国を強大な存在《そんざい》にする野望を持っていた。仕上げは、古代から栄えたエジプト王国の征服《せいふく》だ。

今やカンビュセス2世は、着々《ちゃくちゃく》とエジプトの町を支配下《しはいか》に置きつつあった。

とはいえ、エジプト帝国《ていこく》も古くから絶大《ぜつだい》な力を持っているだけあって、一筋縄《ひとすじなわ》ではいかない。

運河《うんが》に近いペルシウムの町に上陸したペルシア軍は、エジプト軍のかたい守りにまったく手も足も出せなかったのである。

「王様、この町の要塞《ようさい》は非常《ひじょう》に強固で、歯が立ちません。作戦をねらなくては。」

将軍《しょうぐん》や中心となる士官《しかん》たちがカンビュセス2世を囲《かこ》み、作戦会議が開かれた。

「エジプト軍の弱点はないのか？」

カンビュセス2世が言うとみんな押《お》しだまったが、一人の士官《しかん》がおそるおそる顔を上げる。

「エジプト人の神殿《しんでん》をこわすのはどうでしょうか。そうすればエジプト人は一気に力を失うと思います。」

「うむ。いいアイディアだ！」

「いっそエジプト人が崇拝《すうはい》しているスフィンクスを破壊《はかい》してては？　より大きなダメージを与《あた》えられるのではないでしょうか。」

「スフィンクスか、なるほどそれはいい！」

スフィンクスは、神殿《しんでん》やピラミッドのそばに建てられた巨大《きょだい》な石像《せきぞう》である。人間の頭、ライオンの体を持つ不思議なデザインだ。

「エジプト人は、とても信仰《しんこう》が深いですからね。あいつらはたくさんの神様をまつっていて――どういうわけか、牛やネコまであがめているんですよ。」

士官《しかん》の一人がせせら笑うように言うと、ほかの者も話に乗ってくる。

「そうだ。前にエジプト人の王女をとらえたとき、ネコをモチーフにした指輪をしていましてね。指輪のネコに必死に祈《いの》りをささげていましたよ。」

「エジプト人はくだらないものを信じているバカなやつらだ。」

一同は大笑いして盛《も》り上がった。

「でも……スフィンクスはかなり大きいですよね。あれをぶっこわすのは、難《むずか》しいかもしれません。」

「そう言われればそうだな。」

みんなはシュンとしてしまった。

作戦会議はまたふりだしにもどったのだ。

(だが、待てよ。ふむ、ネコか……。)

カンビュセス2世は士官《しかん》の言葉を頭の中でくり返し、口のはしに笑いを浮《う》かべた。

「兵士《へいし》たちに、今からネコを集めてくるように伝えろ。多ければ多いほどいい。」

「ネコ……ですか?」

キョトンとしている将軍《しょうぐん》に、カンビュセス2世は続けて言った。

「ああ、そうだ。それから絵が得意《とくい》な者を連れてきてくれ。この作戦なら、絶対《ぜったい》にうまくいく!」


数日後。

カンビュセス2世率《ひき》いるペルシア軍が再《ふたた》び攻《せ》めこむと、エジプト軍はあっさりと――ほとんど抵抗《ていこう》することなく降伏《こうふく》したのである。

カンビュセス2世は、ネコを使ってエジプト軍を降伏《こうふく》させた。
どのような作戦だったのだろうか。

解説《かいせつ》

カンビュセス2世の指示《しじ》のもと、ペルシア軍はエジプト軍の要塞《ようさい》にネコを投げこんだ。エジプト人たちは、心から崇拝《すうはい》するネコが乱暴《らんぼう》な扱《あつか》いをされたことに動揺《どうよう》してしまった。そのスキをついて攻《せ》めこんだペルシア軍の軍人たちが持っていた盾《たて》には、ネコがしばりつけられていたり、ネコの絵が描《えが》かれていたのである。エジプト軍はネコを傷《きず》つけることができずに降伏《こうふく》したという。信じがたいが、これは実話として伝えられている話。

古来からエジプト人はライオンをあがめていた。しかし、凶暴《きょうぼう》なライオンを飼育《しいく》するのは難《むずか》しいので、次第《しだい》にライオンに似《に》たネコを崇拝《すうはい》するようになったという。頭部がネコのバステト神をはじめ、古代エジプトにはさまざまな動物の顔をした神が存在《そんざい》するが、なかでもネコは特別だったそう。ネコのミイラも多く発見されているし、ネコを殺《ころ》した者は死刑《しけい》になったといわれている。

17

完璧《かんぺき》な隠《かく》れ家《が》

安全→逆転《ぎゃくてん》？

70年ほど昔のこと。

マイヤーは車を停《と》めると、そっとドアを開けた。姿勢《しせい》を低くして注意深くまわりを見わたし、助手席側のドアを開けてノイマンを降《お》ろす。

2人は暗い森の中を歩いていき、大きな木の向こうにある箱のような小さな建物の前で足を止めた。

「では明日、12時に参ります。おやすみなさい。」

「うむ。ご苦労。」

ドアの向こうでガチャリと鍵《かぎ》をかける音がしたのを確認《かくにん》すると、マイヤーは車の方へ歩き出した。マイヤーが人目を忍《しの》んでノイマンの送り迎《むか》えをするようになって半年ほどがたつ。

V帝国《ブイていこく》の最高権力者《けんりょくしゃ》であるノイマンは、なみはずれたリーダーシップで国を統率《とうそつ》し、80代にさしかかった今もその地位に君臨《くんりん》し続けていた。ただし、そのやり方はかなり強引であった。ノイマンをおびやかすような動きを見せた者は低い地位に落とされるか、あるいはあっさりと殺《ころ》された。ノイマンは自分にはむかう人間を殺《ころ》すことをなんとも思わないのである。

こんな人物だから自業自得《じごうじとく》というべきか——ノイマン自身もひんぱんに暗殺者《あんさつしゃ》にねらわれるようになっていた。狙撃《そげき》されたり、爆発物《ばくはつぶつ》を投げこまれたり。飲み物に毒《どく》を盛《も》られたときは、味がおかしいのに気づいてすぐに吐《は》き出さなければ危《あぶ》なかった。

日に日に神経質《しんけいしつ》になったノイマンは食事の毒味役《どくみやく》をやとい、警備員《けいびいん》を増《ふ》やした。外出するときは常《つね》に警備員《けいびいん》が取り囲《かこ》む。自宅《じたく》のまわりにも警備員《けいびいん》がずらりと並《なら》び、ものものしい雰囲気《ふんいき》になった。

やがて、ノイマンはこれはよくないと思いいたった。人数を増《ふ》やすと、暗殺者《あんさつしゃ》がまぎれこみやすくなる。

(もしかして、家の外に立たせた警備員《けいびいん》が裏切《うらぎ》り者《もの》だったら？)

不安にかられ、夜中に悪夢《あくむ》を見て飛び起きることも増《ふ》えていた。

ノイマンは寝不足《ねぶそく》に悩《なや》まされ、顔色がさえなくなっていった。

そこで、側近のマイヤーはこう提案《ていあん》したのである。

「秘密《ひみつ》の隠《かく》れ家《が》をつくって、夜はそこで寝《ね》たらどうですか？　ただでさえ心臓《しんぞう》に持病があるんですから、睡眠《すいみん》不足は体に悪いです。自宅《じたく》には今まで通り警備員《けいびいん》を置いて、表向きには自宅《じたく》にいるように見せかけるんです。」

「なるほど、それはいいアイディアだな。」

ノイマンは身を乗り出した。

「だれも来ないような森の奥《おく》がいいですね。送り迎《むか》えは、わたしがすればいい。」

「森の中の隠《かく》れ家《が》に一人でいるとなると、少々《しょうしょう》不安だがな。」

「窓《まど》も作らず、鋼鉄《こうてつ》の箱みたいな家にするんですよ。」

「鋼鉄《こうてつ》の箱か。それなら安心して眠《ねむ》れそうだ。」

ノイマンはマイヤーの意見に賛成《さんせい》した。

ごくわずかな職人《しょくにん》が召集《しょうしゅう》され、木材に鉄を張《は》った箱のようなすみかが完成した。風変わりだが、森の番人の小屋に見えなくもない。通気穴《つうきあな》、煙突《えんとつ》は目立たないように設計《せっけい》され、ネズミ一匹侵入《ぴきしんにゅう》できないように鋼《はがね》の網《あみ》がはりめぐらされている。

鍵《かぎ》は1本だけ作られた。ノイマンは初め、マイヤーに鍵《かぎ》を持たせておこうと思ったが、マイヤーはこれを断《ことわ》った。

「隠《かく》れ家《が》の存在《そんざい》をかぎつかれないよう十分に注意しますが、絶対《ぜったい》とは言い切れません。わたしがだれかにおそわれて鍵《かぎ》をうばわれるかもしれないですからね。」

「それもそうだな。おまえのように頭がいい側近がいてくれてありがたいよ。わたしには敵《てき》が多すぎる。心から信頼《しんらい》できるのはおまえだけだ。」

「光栄です。わたしも完璧《かんぺき》な隠《かく》れ家《が》ができて満足しています。」

あまり感情《かんじょう》を表さないマイヤーだが、このときばかりは満足げな笑《え》みを浮《う》かべていた。
ノイマンは週の半分ほど、この隠《かく》れ家《が》で夜を過《す》ごすようになった。
(ここは完璧《かんぺき》に安全だ。)
彼《かれ》はずっとそう信じていた。
隠《かく》れ家《が》ができて約半年。ある晩《ばん》、心臓発作《しんぞうほっさ》におそわれ、死を意識《いしき》したときまで
――彼《かれ》はこの部屋の問題点に気づかなかったのだ。

絶対《ぜったい》に外から侵入《しんにゅう》できない部屋の問題点とは何だろうか。

解説《かいせつ》

外からだれも入ることができない家は安全そのものだが、逆《ぎゃく》にいえば中の人に何かあってもだれにも助けてもらえないのだ。高齢《こうれい》のノイマンはある晩《ばん》、心臓発作《しんぞうほっさ》を起こし、電話をかけることもできないまま意識《いしき》を失った。次の日、約束した時間にやって来たマイヤーがドアをたたいても応答《おうとう》がない。それから、鍵《かぎ》をこわして中に入ったときには、ノイマンはもう死んでいたのである。

「中の人を助けることができない」隠《かく》れ家《が》の提案《ていあん》をしたマイヤーは、初めから完全犯罪《はんざい》をねらっていた。マイヤーは、いずれ機を見計らって放火をするか毒《どく》を盛《も》るつもりでいたのである。

これは、ソビエト連邦《れんぽう》（現在《げんざい》のロシア）の政治家《せいじか》・スターリンの死にまつわる逸話《いつわ》に材をとった話。スターリンの死因《しいん》は脳卒中《のうそっちゅう》とされるが、処置《しょち》を故意《こい》に遅《おく》らせたとする見殺《みごろ》し説《せつ》、側近による毒殺説《どくさつせつ》もささやかれている。

18

殿様《とのさま》の便所

作戦↓なぜ？

ときは戦国時代。甲斐国《かいのくに》（現在《げんざい》の山梨県《やまなしけん》）を支配《しはい》する戦国武将《せんごくぶしょう》、武田信玄《たけだしんげん》の本拠《ほんきょ》地《ち》、躑躅ヶ崎館《つつじがさきやかた》にて。

「信玄殿《しんげんどの》はどちらに？」

「山でございます。」

「山においでか……では、しばらくおもどりにはならないな。」

宗介《そうすけ》は家臣たちの会話に聞き耳を立てていた。そして、縁側《えんがわ》の下から飛び出すと、庭そうじをしている先輩格《せんぱいかく》の彦二郎《ひこじろう》に近づいてたずねた。

「信玄殿《しんげんどの》は山にいらしたそうですね。」

「ああ、あれは山じゃないんだ。」

そう言うと、彦二郎《ひこじろう》は「しまった」という顔で舌《した》を出した。だが、彼《かれ》はこの新入りにヒミツをしゃべりたい欲望《よくぼう》をおさえきれなかった。

「ここだけのヒミツだけどな……『山』っていうのは便所のことなんだ。」

「どうして便所が『山』なんですか？」

「山には『草木』があるだろ？　便所は『くさい』……ってわけさ。」

彦二郎《ひこじろう》は説明しながらプッと噴《ふ》き出している。

「あはは、おもしろいですねぇ！」

宗介《そうすけ》は調子を合わせながら彦二郎《ひこじろう》の横顔をうかがった。宗介《そうすけ》は武田家《たけだけ》の奉公人《ほうこうにん》としてやとわれたばかりだが、じつはさる大名から送りこまれたスパイなのだ。このうっかり者の先輩《せんぱい》はいろいろなことをしゃべってくれそうだと確信《かくしん》すると、宗介《そうすけ》は笑顔《えがお》で次の質問《しつもん》をくりだした。

「それにしても信玄殿《しんげんどの》って、いつも便所が長いんですか？」

「いや……それがなぁ。」

彦二郎《ひこじろう》はまわりを見回し、声をひそめた。

「信玄殿《しんげんどの》の便所は特別製《とくべつせい》なんだ。こんな便所を持ってる大名はほかにいやしないだろうよ。」

武田信玄《たけだしんげん》がこだわって作った専用《せんよう》の便所は六畳《じょう》で、たたみじきだという。これくらい広ければ、外からヤリや刀をつっこまれても逃《に》げ場があるというわけだ。

そして、この時代にはめずらしい「水洗《すいせん》」のシステムが作られていた。用を足して鈴《すず》を鳴らすと、便所の下を通してある樋《とい》を通じて、小姓《こしょう》がとなりの浴室から風呂《ふろ》の残り湯を流すことになっている。

さらに香炉《こうろ》を置いて、便所の中によい香りを漂《ただよ》わせる完璧《かんぺき》ぶりだ。

こんなに居心地《いごこち》のいい空間を便所としてだけ使うのはもったいない。そこで、信《しん》玄《げん》はここに机《つくえ》を置き、本を読んだり考えごとをしたりしているのである。

「それはすごい。ぜひ一度見てみたいものですね。」

「ダメダメ。オレたちみたいな下っぱは便所の番はさせてもらえないよ。どんな小さな情報《じょうほう》ももれないよう、信玄殿《しんげんどの》の身の回りのお世話をする人はかぎられているんだ。」

(しかし、しょせんは一人で過《す》ごす部屋だ。何か弱点があるんじゃないか。便所の下から侵入《しんにゅう》できるかどうか調べてみよう。)

宗介《そうすけ》がその晩《ばん》、便所の外をこっそり歩き回っていると、にわかにジャランジャランと鈴《すず》の音が鳴った。

(ああ、例の合図だな。)

宗介《そうすけ》がしげみに身をかくしていると——やがて信玄《しんげん》の家臣が木桶《きおけ》を持って外に出てきたではないか。

(それにしても、ずいぶんえらい立場の人が大便のしまつをするもんだな。)

さらに意外なことに、家臣は木桶《きおけ》をコイのいる池にあけてしまったのである。

宗介《そうすけ》はしげみの中に座《すわ》って考えこんだ。

(大便を肥料《ひりょう》にするならわかるが……。池に入れたってことはコイのエサにしてるのか？　信玄殿《しんげんどの》はずいぶん節約家なんだなぁ。)

武田《たけだ》信玄《しんげん》専用《せんよう》の便所から出た大便を池に捨《す》てたのは「コイのエサ代節約」のためではない。その理由を推理《すいり》してほしい。

解説《かいせつ》

大便をコイのエサにしたのは、信玄《しんげん》の大便をだれの目にもふれさせないためだ。大便には、健康状態《じょうたい》が表れる。スパイの目にふれて、体調に関する情報《じょうほう》がもれないように警戒《けいかい》しているのである。

これは史実《しじつ》をもとにした話。戦国大名・武田信玄《たけだしんげん》は軍略家《ぐんりゃくか》として知られる。このトイレは落ち着いて作戦を立てるにもぴったりの部屋で、1時間ほどこもることもあったという。家臣とヒミツの話をするときなどにも使われていたそうだ。ちなみに「山」という呼《よ》び名を考えたのも信玄《しんげん》自身だそう。「甲斐《かい》の虎《とら》」とおそれられた信玄《しんげん》にはお茶目な一面もあったのである。

19

希望の光

危《き》機《さ》↓逆《ぎゃく》転《てん》？

1949（昭和24）年、戦後まもない時代。ある夏の終わりの日のこと。

（そろそろ東京に帰らないとな。）

スギウラが帰りじたくをしていると、不意に事務員《じむいん》が顔を出して「スギウラさんにお客さんですよ」と声をかけた。

「えっ、ぼくに？」

カメラメーカーの主任技師《しゅにんぎし》であるスギウラは、いつもは東京の研究所にいる。今日はたまたま打ち合わせがあって長野県の工場に来ていたのである。

「初めまして。東京大学附属病院《とうきょうだいがくふぞくびょういん》のウジタツロウと申します。」

スギウラと話をするために東京からやってきた男は医者だという。

「胃《い》の中を写すカメラを作りたいんです。スギウラさん、協力してくれませんか？」

当時、口から管を入れて胃《い》の中をのぞく内視鏡《ないしきょう》という道具はすでにあったが、消化器をキズつけてしまう事故《じこ》が多発していた。

手術《しゅじゅつ》をせずに胃《い》を検査《けんさ》するにはレントゲンが使われるようになったが、これもまだ精度《せいど》が低く、胃《い》の内部のくわしい状態《じょうたい》がつかめない。そこで、世界各国では胃《い》の中を撮影《さつえい》できる胃《い》カメラの研究が盛《さか》んに行われるようになっていた。

ウジがメーカーに相談したところ、スギウラを紹介《しょうかい》され、一刻《いっこく》も早く会いたくてかけつけたのだという。

スギウラは驚《おどろ》きながら、あっさりとこう答えたのだ。

「やってみないとわかりませんが、光とレンズとフィルムがあれば写真は撮《と》れますから、なんとかなるでしょう。」

しかし、スギウラがこの依頼《いらい》を報告《ほうこく》すると、研究所の所長は苦虫をかみつぶしたような顔になった。

「無理だよ。胃《い》カメラなんてできっこない。だいたい胃《い》の中は真っ暗だぞ。どうやって写真を撮《と》るんだ？」

だが、無理だと言われたせいでスギウラの心はよけいに燃《も》え上がっていた。そして、待たせていたウジのところにもどると、笑顔《えがお》で言ったのだ。

「ウジさん。これからわたしも東京の研究所にもどるんです。いっしょに帰りませんか？」

この晩《ばん》は、歴史的《れきしてき》な大型台風《おおがたたいふう》にみまわれていた。

2人の乗った列車は、強い風雨にさらされ、ノロノロ走ったり止まったりをくり返し――やがて、とちゅうで進めなくなってしまう。朝まで車内で過《す》ごすことになった2人は自然とうちとけて、胃《い》カメラの構想《こうそう》を語りあっていたのである。

「今、胃《い》ガンにかかって命を落とす人が多い。でも、胃《い》ガンはまだ小さいうちに発見して取りのぞけば治せる病気なんだ。胃《い》カメラができれば、多くの命を助けることができるんです。」

熱く語るウジに、いつしかスギウラも共鳴していた。

この台風は、２人の絆《きずな》を運命的に深めることになったのだ。


もちろん開発はかんたんではなかった。

「人間ののどの広さは平均《へいきん》14ミリですから、胃《い》にさしこむ管はそれ以下でなければダメです。」

「なるほど。では、ゴム管の外径を12ミリくらいとすると——厚《あつ》みがあるから内径は8ミリくらいか。そこに内蔵《ないぞう》するには超小型《ちょうこがた》のレンズやフィルムや電球が必要ですね。」

所長からOK《オーケー》をもらえなかったのだから、この件《けん》は「仕事」ではない。スギウラは夜おそくなって同僚《どうりょう》たちが帰ってから、こっそり研究に打ちこんでいた。しかし、１人だけ後輩《こうはい》のフカミを仲間に引きこんだ。

周囲《しゅうい》には「フラッシュの研究をする助手」と言い、フカミに胃《い》カメラの研究を手伝ってもらったのである。所長に指摘《してき》されたように胃《い》の中は真っ暗だ。電球を小型《こがた》にすれば、光の強さも足りなくなってしまう。光で胃《い》の内部を照らすフラッシュの研究は、胃《い》カメラの成功のカギなのだ。ウジも、病院の仕事を終えてから、毎晩《まいばん》のように研究所に足を運んでくる。たった3人だが、彼《かれ》らはゆるぎないチームとなっていた。

3人はこの発明品を「ガストロカメラ」と名づけた。「ガストロ」は英語で「胃《い》」という意味である。

気が遠くなるような試行錯誤《しこうさくご》をくり返しながら、開発は着々《ちゃくちゃく》と進んでいた。ガストロカメラの管の先にはカメラのレンズがあり、手元の操作《そうさ》で5ミリの小型《こがた》ランプをフラッシュさせる。管に搭載《とうさい》したフィルムも幅《はば》5ミリほどのミニサイズだ。最初は、光が入らないように目張《めば》りをしたフラスコを胃《い》に見立てて、撮影《さつえい》のテストをしていた。

そして、ついに犬の胃《い》にカメラを入れた実験が行われる日がやってきたのだ。

はたして——フラッシュランプはしっかりと胃《い》の中を照らしてくれ、撮影《さつえい》は成功した。ところが、一つ大きな問題が残ってしまった。

ウジは、現像《げんぞう》したフィルムをながめてため息をついた。

「胃《い》の中はしっかり写っている。だけど、胃壁《いへき》のどの部分が写っているのかわからないんだ。」

「そうか……確《たし》かにこれじゃ、胃《い》の中でカメラがどっちを向いているかわからないですね。」

スギウラはくちびるをかんだ。ホースのような管だけに、胃《い》の中に到達《とうたつ》してどこを向いているかがわからない。どこが写っているかわからないのでは、治療《ちりょう》の役には立たないのだ。

ウジはこの一件《けん》で、かなり深く落ちこんだ。しかし、それでもあきらめることなく、撮影《さつえい》テストを続けていたところ、ひょんなことから「カメラの向き」がわかったのである。

その日、3人はまだ明るいうちから研究室につめていた。

しだいに窓《まど》の外の日がくれて、研究室の中はうす暗くなっていくが、3人ともあかりをつけることさえ思いつかなかった。それが、まさか幸運を引き寄《よ》せるとは。

それは日々《ひび》、夜おそくまで時間を忘《わす》れて研究にはげむ3人への、神からのプレゼントとでもいうべきぐうぜんのいたずらだった。

その日も3人は犬の胃《い》を撮影《さつえい》していた。なぜ、胃《い》の中のどこを撮影《さつえい》しているかがわかったのだろうか。

解説《かいせつ》

3人は撮影《さつえい》に打ちこむあまり、うす暗くなっても電気をつけるのを忘《わす》れていた。その中でシャッターを切ったとき、犬のおなかからフラッシュの光がすけて見えたのである。これで、カメラの向きがわかったのだ。

研究を始めた翌年《よくねん》、1950（昭和25）年の6月、宇治達郎《うじたつろう》、杉浦睦夫《すぎうらむつお》、深海正《ふかうみまさ》治《はる》の3人の連名で胃《い》カメラの特許《とっきょ》が出願された。宇治《うじ》は、胃《い》カメラを使った診断法《しんだんほう》の論文《ろんぶん》で博士号《はくしごう》を取得《しゅとく》する。

こうして完成された世界初の胃《い》カメラは、管の先に取り付けた小型《こがた》カメラで胃《い》の中を撮影《さつえい》、後からフィルムを写真に現像《げんぞう》するものだった。素材《そざい》や部品の進化により、1960年代には胃《い》カメラに「目」の機能《きのう》がついた「ファイバースコープ」が登場。現代《げんだい》では大型《おおがた》モニターに映像《えいぞう》を鮮明《せんめい》に映《うつ》し出す「ハイビジョン内視鏡《ないしきょう》システム」や「超音波内視鏡《ちょうおんぱないしきょう》」が実現《じつげん》している。また、大きな筒型《つつがた》の機械に入って体内を撮影《さつえい》するCT《シーティー》検査《けんさ》、MRI《エムアールアイ》検査《けんさ》など、検査《けんさ》方法は進化し続けている。

20

ダイヤを我《わ》が手に

危機《きき》→逆転《ぎゃくてん》？

この仕事の報酬《ほうしゅう》は安すぎたな。

純金《じゅんきん》のチェーンにいくつもダイヤモンドがついたペンダントをながめて、オレはため息をついた。これならダイヤだけでも数百万ドルはくだらないはずだ。

もっとしっかり確《たし》かめて契約《けいやく》すればよかった。

かの大富豪《だいふごう》がこれほどのダイヤを持っているという情報《じょうほう》は、依頼主《いらいぬし》の犯罪組織《はんざいそしき》がかぎつけたものだ。主人が屋敷《やしき》を留守《るす》にする日をねらって執事《しつじ》を外におびき出したり、防犯装置《ぼうはんそうち》に細工をする役目は組織《そしき》のメンバーが担《にな》っている。だが、金庫破《きんこやぶ》りの名人であるオレがいなければ、盗《ぬす》みだすのは不可能《ふかのう》だったはず。

持ち主がいつ盗難《とうなん》に気づくかはわからないのでダイヤはひとまずオレが保管《ほかん》し、様子を見てボスに届《とど》けることになっているが。このまま行方《ゆくえ》をくらましたくなってきた。いや、だまって逃《に》げるのはさすがに無理だな。

同業のヤバいヤツにおそわれてダイヤモンドを横取りされたってことにするのは？　その場合、オレが死ぬほど痛《いた》めつけられてでもいないと、信じてもらえそうにない。オレはボスにかなり信頼《しんらい》を置かれているが、それでも拳銃《けんじゅう》で撃《う》たれてるくらいのダメージを負ってないと疑《うたが》われるだろう。

ダメージねぇ。車ごと谷底に転落して、命は助かったがダイヤはどこかに落ちてなくなったとか。そんな大じかけの芝居《しばい》は無理だなぁ。うっかりしたら本当に死んでしまう。

車を走らせているうちに、ふといい考えが浮《う》かんだ。

オレが向かったのは、昔の仲間が１人でひっそりと暮《く》らしている山の中のボロ屋である。そして、彼《かれ》に「倍の値段《ねだん》で買うから今すぐこの家を売ってくれ」と持ちかけたのだ。気心の知れた相手だけあって、わけを話すと彼《かれ》は承諾《しょうだく》してくれた。

話がついたら、さっさとやるまでだ。オレはボロ屋に火をつけた。ここを選んだのは近くに家がないため——遠慮《えんりょ》なく全焼させるにはうってつけの場所だからだ。オレはニッパーでペンダントから慎重《しんちょう》にダイヤモンドをはずす。そして、純金《じゅんきん》のチェーンだけを燃《も》え広がっていく火の中に放りこんだのだ。

主人公は彼《かれ》を雇《やと》ったボスをだまし、ダイヤモンドを独《ひと》り占《じ》めする作戦を考えた。友人から家を買って燃《も》やしたのはなぜか。また、なぜ純金《じゅんきん》のチェーンを火の中に放りこんだのだろう。

解説《かいせつ》

　ダイヤモンドは世界一硬《かた》いが、その成分は炭素《たんそ》で燃《も》えてしまう。主人公はダイヤが燃《も》えてなくなったことにして、持ち逃《に》げしたのである。

燃《も》えるとはいえ、ライターで少しあぶったくらいではダメだ。ダイヤが燃《も》えだすのは８００度くらいからで、完全に燃《も》えつきるのは１０００度くらい。住宅火災《じゅうたくかさい》では１時間ほど燃焼《ねんしょう》すると１０００度くらいに達するといわれる。これほどの高温になるとダイヤはだんだん小さくなり、最終的には二酸化炭素《にさんかたんそ》に変化し、あとかたもなく消えてしまうという。一方の純金《じゅんきん》は溶《と》けて残る。この芝居《しばい》を成功させるには、金も火に放りこむことが必要だったのだ。

　翌朝《よくあさ》、主人公はボスに連絡《れんらく》すると涙《なみだ》ながらに「隠《かく》れ家《が》に放火された」と訴《うった》えた。ボスが現場《げんば》にやって来ると、主人公は焼け出されたあわれなかっこうで焼けあとでダイヤを探《さが》している。「ダイヤモンドは燃《も》える」とボスに告《つ》げられた主人公はショックを受けたふりをし、まんまとダイヤを独《ひと》り占《じ》めしたのだ。

21

命を守るシャツ

危機《きき》→回避《かいひ》？

20世紀《せいき》中ごろ。とある戦場にて。

銃弾《じゅうだん》の飛びかう中を、ロイは負傷《ふしょう》した仲間をひきずるようにしながら走りぬけていく。塹壕《ざんごう》に逃《に》げこむと、そこにはすでに4人の仲間が身を隠《かく》していた。

「テッド、しっかりしろ！　すぐ手当てをしてやるからな！」

ロイはカーキ色の軍服を脱《ぬ》いだ。さらに下に着ていた白いT《ティー》シャツを脱《ぬ》ぐと、えり首のあたりをかみちぎった。そしてT《ティー》シャツを引き裂《さ》き、血が噴《ふ》き出ているテッドの足を手際《てぎわ》よくしばってやる。

テッドは荒《あら》い息をしながら、ロイに笑顔《えがお》を向けた。

「ロイ、ありがとう。」

「上官が言ってたんだよ。このシャツは戦地で命を守ることになるって。その通り、本当に万能《ばんのう》だ。」

以前、アメリカ軍で支給《しきゅう》されていたのは、ゴワゴワしたぶあついウール製《せい》のシャツだった。それに比《くら》べ、このT《ティー》シャツはとても快適《かいてき》だ。汗《あせ》をよく吸《す》うし、洗《あら》った後に乾《かわ》くのも早い。じょうぶだが薄《うす》いので、こんなふうに包帯がわりにもなれば、煙《けむり》を防《ふせ》ぐマスクがわりにしたこともある。

ロイはテッドを寝《ね》かせると、少しだけ頭を出して用心深く外をうかがった。仲間は敵軍《てきぐん》に押《お》され、ちりぢりになっている。倒《たお》れて動かない仲間が2人、いや3人。岩場の向こうにも……。

形勢《けいせい》は明らかに不利だ。

また1人、仲間が腹《はら》ばいになり、乾《かわ》いた土の上をはいずりながら塹壕《ざんごう》へ向かってくる。ところが、その姿《すがた》は敵兵《てきへい》から丸見えらしい。彼《かれ》のヘルメットの上を、何発もの銃弾《じゅうだん》がかすめていく。

「降伏《こうふく》しよう。全員死ぬより、生きて捕虜《ほりょ》になる方がいい。」

「オレもロイの意見に賛成《さんせい》だ！」

塹壕《ざんごう》の中でちぢこまっていたマイクが、外に飛び出そうとするのをロイはあわてておさえつけた。

「マイク、出るな！　撃《う》たれるぞ。T《ティー》シャツをぬいでくれ。」

ロイはマイクの汗《あせ》まみれのT《ティー》シャツを受け取ると、つぶやいた。

「命を守る万能《ばんのう》のT《ティー》シャツに、また活躍《かつやく》してもらうことにしよう。」


ロイはT《ティー》シャツをどのように使って「命を守る」つもりなのだろうか。

解説《かいせつ》

ロイはこのT《ティー》シャツを大きく広げてかかげた。「白旗」の代わり、すなわち「降《こう》伏《ふく》」を伝えるサインである。T《ティー》シャツが戦地でこのように使われることは実際《じっさい》にあったと伝えられている。

T《ティー》シャツのもととなる綿《めん》の下着は、イギリスやヨーロッパの国々《くにぐに》で生まれたという。着心地《きごこち》のよい綿《わた》の下着をアメリカ人が自国に持ち帰り、これをまねて作ったものがT《ティー》シャツの原型《げんけい》となった。広げた形が「T《ティー》」の字に似《に》ていることからT《ティー》シャツと名づけられ、やがて世界に広まったのだ。

22

月曜病

危《き》機《き》→逆《ぎゃく》転《てん》？

ときは1870年代。ヨーロッパのとある国にて。

アルフはゆううつそうな面持《おもも》ちで歩いていたが、隣人《りんじん》の医師《いし》、ポールの姿《すがた》を見つけるとハッとして足をとめた。

「ポール先生！」

「やあ、アルフ。今、帰りかい？」

「うん。ちょっと聞きたいことがあって。」

アルフは、新しくできた火薬工場の工場長を務《つと》めている。

「うちの工場で、たくさんの従業員《じゅうぎょういん》が頭痛《ずつう》やめまいを訴《うった》えるんだ。ただし、決まって月曜日ばかりに。」

「月曜日だけ？」

「だいたい週のはじめだけで、あとはみんなケロッとしている。ところが、週明けにはまた同じことを言い出すときてる。休み明けはゆううつだから頭痛《ずつう》を起こすのか。あるいは仮病《けびょう》じゃないかと疑《うたが》っているんだけど。」

するとポールはちょっと考えて言った。

「きみが勤《つと》めているのは火薬工場だったね。つまり、ニトログリセリンを使っているよね？」

「うん。だけど、爆薬《ばくやく》と頭痛《ずつう》が関係あるのかい？」

それからポールが説明したのは、アルフにはまるで想像《そうぞう》もできない話だった。

ニトログリセリンという化学物質《ぶっしつ》を発見したのは、イタリアのソブレロという人物だ。ほんの少し衝撃《しょうげき》を与《あた》えただけでも爆発《ばくはつ》してしまうので危《あぶ》なくて使えないと思われていた。それを安全に使えるようにしたのがノーベルという科学者だ。

ノーベルは液状《えきじょう》のニトログリセリンを珪藻土《けいそうど》（吸水力《きゅうすいりょく》の高い素材《そざい》）にしみこませ、扱《あつか》いやすい固体に加工した。彼《かれ》が発明した爆薬《ばくやく》「ダイナマイト」は、瞬《また》く間に土木工事の現場《げんば》などに広まっていった。

「ところが、このニトログリセリンという薬品が原因《げんいん》で頭痛《ずつう》が起こることもわかったんだ。ニトログリセリンの成分が空気中に漂《ただよ》って、皮膚《ひふ》や粘膜《ねんまく》から吸収《きゅうしゅう》されてしまうんだな。アメリカの医師《いし》の研究によると、ニトログリセリンには血管を広げる作用があるそうなんだ。」

「血管が広がると、頭痛《ずつう》が起こるのかい？」

「ああ。雨が降《ふ》ると頭痛《ずつう》を起こしやすい人がいるだろう？」

「そういえば、うちの妻《つま》がそんなことを言ってるな。」

雨が降《ふ》るときは気圧《きあつ》が下がるため、体にかかる気圧《きあつ》も少なくなる。その影響《えいきょう》で、体内の血管はふくらむ。血管が広がって神経《しんけい》などを圧迫《あっぱく》するせいで、頭痛《ずつう》が起こるというわけだ。

目を白黒させているアルフに、ポールは親切に言った。

「よかったらぼくが工場のみなさんに説明しに行くよ。」

問題の月曜日。ポールは工場を訪《おとず》れて作業員たちに説明した。みんなはニトログリセリンの作用を理解《りかい》したようだが、納得《なっとく》がいかない顔の者もいる。

「先生の説明はよくわかりましたよ。でも、本当に血管が広がるせいだけなんですか？　ニトログリセリンのせいで、オレたちは何か悪い病気にかかってるんじゃないか？」

だれかが言うと、みんなはザワザワした。

「じょうだんじゃない。」

「そんな危険《きけん》があるなら、オレは工場をやめるよ。」

アルフはオロオロしてポールをながめた。

（わざわざ説明しに来てもらったのに、とんだことになっちまったなぁ。）

ところが、そのとき。作業員の中でも年配のクレイグがボソッとこんなことをつぶやいたのである。

「オレはみんなと逆《ぎゃく》で、工場にいるとやけに体調がいいんだ。オレは狭心症《きょうしんしょう》っていう心臓《しんぞう》の病気で、胸《むね》が苦しくなったりしめつけられるように痛《いた》んだりすることがある。ところが、家ではよく発作《ほっさ》が起きているのに工場ではまったく発作《ほっさ》が起きることはないんだよ。」

ポールは、クレイグの方に乗り出した。

「興味《きょうみ》深い話を聞かせてくれてありがとう！　これは医学上の大発見かもしれないぞ。」

それから、作業員たちに向かって言い放ったのである。

「これでみなさんの頭痛《ずつう》も、決して悪い病気のせいじゃないと言い切れそうだ。」

ポールは、ニトログリセリンが頭痛《ずつう》を起こす原因《げんいん》だという。同時に、心臓《しんぞう》に持病のあるクレイグの体調がよいことと関係があるとにらんだ。同じ化学物質《ぶっしつ》が、体に悪い影響《えいきょう》と良い影響《えいきょう》をもたらすことなどがあるのだろうか。

解説《かいせつ》

あるる。ポールが説明したように、ニトログリセリンには血管を広げる作用がある。狭心症《きょうしんしょう》は血管が細くなっていたりして、血液《けつえき》の流れが悪くなることで起こる病気だ。つまり、血管が広がるために頭痛《ずつう》を起こす人がいる一方で、クレイグの場合は血管が広がって心臓《しんぞう》の調子がよくなっていたのである。この効用《こうよう》が認《みと》められ、ニトログリセリンは狭心症《きょうしんしょう》の特効薬《とっこうやく》として使われるようになった。

作業員たちの頭痛《ずつう》が週のはじめにしか起こらないのは、しばらくすると血管の拡《かく》張《ちょう》に体が慣《な》れてくるためだった。しかし、日曜に休むと体がもとにもどるので、月曜になるとまた頭痛《ずつう》を起こしていたのである。

ダイナマイトの材料となるニトログリセリンが、ひょんなことから心臓病《しんぞうびょう》の特効《とっこう》薬《やく》として見出《みいだ》されたこの話は、実話に基《もと》づいたものである。

23

白衣の男

危機《きき》→逆転《ぎゃくてん》？

戦後まもない昭和20年代のこと。東京のある町にて。

午後3時をすぎたので、タヌマさんは銀行の扉《とびら》を閉《し》め「本日閉店《へいてん》」の札をかけた。

といっても行員たちはすぐに帰れるわけではない。書類を作ったり、ソロバンをはじいてお金の計算をしたりと、仕事はまだ山ほどある。

ガチャッ。

ガラス戸を開けて現《あらわ》れた男に、タヌマさんは「今日はおしまいなんですけど」と言いかけて口をつぐんだ。男の様子にせっぱ詰《つ》まった雰囲気《ふんいき》を感じたからだ。

白衣を着た男は、服につけた腕章《わんしょう》を示《しめ》しながらこう言ったのだ。

「わたしは厚生省《こうせいしょう》から来た者です。じつは、この近所で集団赤痢《しゅうだんせきり》が発生しました。感染者《かんせんしゃ》の一人が今日、こちらの銀行に来ていたことがわかりまして。」

行内からざわめきが起こった。

「消毒班《しょうどくはん》が来ることになっていますが、みなさんにはただちに予防薬《よぼうやく》を飲んでいただかなくてはなりません。全員分の湯のみ茶わんを用意してもらえませんか。」

「わかりました！」

タヌマさんは急いで奥《おく》の給湯室に走った。

タヌマさんが湯のみを並《なら》べると、男は持参した容器《ようき》からスポイトで慎重《しんちょう》に薬を注ぎ入れる。不安そうな視線《しせん》を浴びながら、男は湯のみを手にとってみせた。

「この薬は、歯につくと表面のエナメル質《しつ》をいためてしまいます。ですから、歯につかないように一気にのどに流しこんでください。わかりましたか？」

みんながうなずき、めいめいに湯のみに手をのばすのを男は注意深く見守る。

「全員、湯のみを持ちましたね？　では、わたしが声をかけますから、みなさんいっせいに薬を飲み干《ほ》してください。いっせいにですよ。」

全員が湯のみを口の方に持ち上げ、男が「せーの」と言いかけたとき。

「みんな、飲むな！」

支店長《してんちょう》が大声をあげたので、みんなはびっくりして手を止めた。

すると、男は舌打《したう》ちをして外へ飛び出していったのである。


支店長《してんちょう》は、なぜ男を疑《うたが》ったのだろうか。

解説《かいせつ》

支店長《してんちょう》は、男が「全員いっせいに飲む」ように強調したのをあやしんだ。急を要するとはいえ、そこまでタイミングを合わせる必要はないはず。「全員がいっしょに飲まなければならない理由（先に飲んだ人が苦しみだすとバレてしまう）」から、毒薬《どくやく》ではないかと考えたのだ。「のどに一気に流しこめ」という指示《しじ》もあやしい。支店《してん》長《ちょう》の想像《そうぞう》通り、配布《はいふ》された薬は青酸《せいさん》カリで、みんなはギリギリで助かったのだ。

これは1948（昭和23）年に起こった「帝銀事件《ていぎんじけん》」をもとにした話。実際《じっさい》の事《じ》件《けん》では、犯人《はんにん》はこのような手口で銀行員に毒《どく》を飲ませることに成功し、服用した16人のうち12人の命がうばわれてしまった。犯人《はんにん》は現金《げんきん》と小切手を奪《うば》って逃走《とうそう》した。その後、犯人《はんにん》とされる人物が逮捕《たいほ》されるも、彼《かれ》は獄中《ごくちゅう》で無実の罪《つみ》を着せられたと主《しゅ》張《ちょう》したまま、95歳《さい》で獄中死《ごくちゅうし》。現在《げんざい》でも謎《なぞ》が多いとされている事件《じけん》だ。

「市民の味方」を装《よそお》った犯人《はんにん》の作戦は、悪党《あくとう》ながら天才的である。のちに類似事件《るいじじけん》が起こっているので、みなさんもウソを見破《みやぶ》る観察眼《かんさつがん》を持ってほしい。

24

モデル殺人事件《さつじんじけん》

危機《きき》→逆転《ぎゃくてん》？

海が見える横浜《よこはま》のマンションの一室にて。大柄《おおがら》の花もようのワンピースをまとったその女性《じょせい》は、毛足の長いブルーのじゅうたんに身を横たえて絶命《ぜつめい》していた。右手に鏡を持ったままで。

低いテーブルの上に置かれたコーヒーカップからは、毒《どく》が検出《けんしゅつ》された。マンションの玄関《げんかん》のカギがかかっていなかったことから他殺《たさつ》と考えてよさそうだ。部屋のいたるところには、被害者《ひがいしゃ》以外の指紋《しもん》がたくさん残っているが——。

「キリシマハナエ。31歳《さい》。化粧品《けしょうひん》のプロデューサー兼《けん》モデル。離婚歴《りこんれき》2回で今は独《どく》身《しん》か。交友関係はそうとう広そうだな。」

わたしがメモを読み上げると、部下もうんざりしたように言った。

「ひんぱんにパーティーを開いていたそうです。ここを訪《おとず》れたことのある人を洗い出《だ》すだけでもたいへんですよ。」

「華《はな》やかな業界の人気者だけに、彼女《かのじょ》にライバル心やうらみを持っている人は多かったかもしれないな。何か少しでも手がかりがあればいいんだが……。」

すると、部下が興奮《こうふん》したような声をあげた。

「警部《けいぶ》！　この本棚《ほんだな》を見てくださいよ。彼女《かのじょ》はなかなかの推理《すいり》小説マニアですよ。毒《どく》を盛《も》られたことに気づいて、ヒントを残しているかもしれません。」

「じゃあ、これに何か意味があると思うのか？」

わたしは、キリシマさんの右手に握《にぎ》られた鏡を指さした。確《たし》かに死の間際《まぎわ》につかむものとしては奇妙《きみょう》だが。

「モデルだから、最期《さいご》の瞬間《しゅんかん》に鏡を手に取るのはおかしくないかもしれない。美容《びよう》を仕事にしている女性《じょせい》だしなぁ。」

「あ、体の下に何かありますよ。」

おっと、広がったワンピースにかくれて見落としていた。体の下じきになっていた雑誌《ざっし》は『神奈川《かながわ》　グルメマップ』。表紙にはおいしそうにスイーツを口にするキリシマさんが写っている。たまたまここにあっただけに思えるが。

しかし、部下は表紙をじっと見つめて言ったのだ。

「調べてみる価値《かち》はあると思いますよ。被害者《ひがいしゃ》の友人知人の中に『これ』が示《しめ》す人物がいるかどうか。」

部下の推測《すいそく》は当たっていた。推理《すいり》小説マニアだった被害者《ひがいしゃ》のダイイングメッセージは、犯人《はんにん》をはっきりと名指しするものだったのである。

被害者《ひがいしゃ》がとっさにつかんだのは鏡と『神奈川《かながわ》　グルメマップ』。部下がこの2つの手がかりから割《わ》り出した人名を推理《すいり》してほしい。

解説《かいせつ》

「鏡」は、「かがみ（か↓み）」という読みかえの指示《しじ》だった。『神奈川《かながわ》　グルメマップ』の「かながわ」の「か」を読みかえると「みながわ」となる。被害者《ひがいしゃ》の周辺の人物の中にいた「みながわ」さんを取り調べたところ、本人は犯《はん》行《こう》を自供《じきょう》したのである。

25

危《あぶ》ない旅行者

危機《きき》→逆転《ぎゃくてん》？

ときは16世紀《せいき》。フランスのとあるホテルにて。

「こんなものしか持ってこれなくてすみません。」

「いや、ありがとう。しかし、そろそろここを発《た》たなくてはなぁ。」

ラブレー氏は、ホテルのボーイがこっそりさしいれてくれた古いパンをかじった。彼《かれ》はパリではちょっと名の知れた作家である。ローマ旅行中、のんびりしていたら持ち金があやしくなってきて——フランス南東部のリヨンまでもどってきたところで金が底をついたのだ。

このボーイの少年はラブレー氏の事情《じじょう》を知って親切にしてくれるが、リヨンには頼《たよ》れる人がいない。目指すパリまで約500キロ弱。鉄道のない時代では、かなりの距離《きょり》である。ボーイは心配そうにラブレー氏の顔をうかがった。

(これからどうするつもりなんだろう。お金を持っていないことがわかったら支配人《しはいにん》にひどい目にあわされるんじゃないか……。)

すると、ラブレー氏はニヤリと笑って口を開いたのだ。

「頼《たの》みがある。ここに町じゅうの医者を呼《よ》び集めてきてくれ。『これからホテルの一室で、長い間研究に取り組んできた名医が講演《こうえん》を行う』と言ってな。」

ホテルにもどってきたボーイは部屋に入ると目をみはった。ラブレー氏はどこから出してきたのか鼻眼鏡《はなめがね》をかけ、きれいになでつけていた髪《かみ》をモジャモジャにし、別人のように変装《へんそう》していたのだ。

部屋が医者たちでいっぱいになると、ラブレー氏はデタラメの名前を名乗り、医学について話しはじめた。ボーイはヒヤヒヤしたが、医者たちが感心して聞き入っているところを見ると、それらしいことをしゃべっているらしい。

（そうか。ラブレーさんは講演《こうえん》が終わったあと、寄付金《きふきん》を募《つの》るつもりなんだな。）

ところが、ラブレー氏はおもむろに「国王に与《あた》える毒《どく》」「王妃《おうひ》に与《あた》える毒《どく》」と書かれたラベルをはったビンを取り出した。

「わたしの研究の結晶《けっしょう》とはこの、瞬時《しゅんじ》にして人を死に至《いた》らしめる毒薬《どくやく》だ。わたしはこれからパリに行き、庶民《しょみん》を苦しめるならず者を粛清《しゅくせい》するつもりなのである。」

医者たちが顔を見合わせながら席を立っていくのを、ボーイはおびえきった顔でながめていた。

（こんな人の片棒《かたぼう》をかついだりして、ぼくも罰《ばっ》せられるかも……。）

そして、ラブレー氏はすぐさま国王の前につき出されることになったのである。


ラブレー氏はなぜこんなことを言ったのだろうか。

解《かい》説《せつ》

これは史実《しじつ》をもとにした話。フランソワ・ラブレーは16世紀《せいき》フランスの作家である。「国王、王妃《おうひ》を毒薬《どくやく》で殺《ころ》す」という計画を聞いた医者たちの通報《つうほう》により、ホテルにはすぐさま警察《けいさつ》が到着《とうちゃく》した。そして、ラブレーはあっという間にパリに連れていかれ、国王の前につきだされたのである。

国王とラブレーは旧知《きゅうち》の仲。国王は、ラブレーが無銭《むせん》でゆうゆうとパリに帰還《きかん》した作戦を聞くと大ウケし、彼《かれ》の知恵《ちえ》を賞賛《しょうさん》したと伝えられる。

ラブレーは『ガルガンチュワ物語』『パンタグリュエル物語』というユーモアに満ちた諷刺《ふうし》物語の作者として知られる。そこそこ有名人だったはずだが、知人のいない土地では身元を証明《しょうめい》できないのでこんな策《さく》を考えたのだろう。それにしても超《ちょう》特急《とっきゅう》の重要人物待遇《たいぐう》で送らせたのは痛快《つうかい》である。

26

改良の余地《よち》あり

危機《きき》→逆転《ぎゃくてん》？

耳元でブーンといやな音がして、ウエヤマ氏は両手を打ち合わせた。

「くそっ。逃《のが》したか。」

ウエヤマ氏は、逃《に》げていく蚊《か》の行方《ゆくえ》をいまいましそうに目で追った。

さされればかゆいし、あの羽音もイライラする。

「そうだ……あのノミ取り粉《こ》を、蚊《か》にも使えないかな？」

ウエヤマ氏は、うちわをパタパタあおぎながら机《つくえ》に向かったのだ。

ウエヤマ氏は学校卒業ののち、ミカンの海外輸出《ゆしゅつ》などの事業を始めた。実家が大きなミカン農家であること、そして学校の先生の影響《えいきょう》で「世界に貢献《こうけん》するような仕事をしたい」という目標を持ったためである。

そんな野望を胸《むね》にいだくウエヤマ氏は、除虫菊《じょちゅうぎく》という植物の栽培《さいばい》や研究にも力を入れていた。学校の先生の紹介《しょうかい》でアメリカの植物輸出《ゆしゅつ》会社の社長と知り合い、除虫《じょちゅう》菊《ぎく》のタネをゆずり受けたのがきっかけである。

除虫菊《じょちゅうぎく》はマーガレットに似《に》たかわいい花をつけるが、殺虫効果《さっちゅうこうか》のある植物だ。

ウエヤマ氏は除虫菊《じょちゅうぎく》を粉末《ふんまつ》にしノミ取り粉《こ》をつくっていたのだが、蚊《か》にも効果《こうか》があるかもしれないと思ったのだ。


（蚊遣《かや》り火《び》を参考にしてみるか。）

昔から蚊《か》になやまされてきた日本人が、どんな対策《たいさく》をしてきたか。一つは、寝床《ねどこ》を麻《あさ》や綿《めん》の布《ぬの》で作った「蚊帳《かや》」でおおい、侵入《しんにゅう》を防《ふせ》ぐ方法。

もう一つが、蚊遣《かや》り火《び》だ。ヨモギの葉を燃《も》やしたりカヤの木をいぶしたりして、煙《けむり》で蚊《か》を追い払《はら》う。ただし、これらの植物には殺虫《さっちゅう》成分はない。部屋中にもうもうと煙《けむり》が充満《じゅうまん》するくらいでないと蚊《か》は逃《に》げてくれないから、人間もそうとうガマンしなければならない。

ウエヤマ氏は、おがくずに除虫菊《じょちゅうぎく》の粉末《ふんまつ》を混《ま》ぜ、火鉢《ひばち》にくべて煙《けむり》を起こしてみた。

「さて……かんじんの蚊《か》が来てくれないと実験にならないな。」

家中の戸や窓《まど》を開け放して、待つこと数時間。

「あっ！　やったぞ！」

火鉢《ひばち》のそばに1匹《ぴき》の蚊《か》が死んでいるのを見つけたウエヤマ氏はおどりあがって喜《よろこ》んだ。そこへ帰って来た妻《つま》のユキさんは、おどろいた顔で言ったのだ。

「あらっ、いやねぇ。この暑いのに火鉢《ひばち》なんか出して、どうしたんですか？」

ウエヤマ氏は言われて初めて、汗《あせ》だくになっている自分に気づいたのだった。

蚊《か》よけの効果《こうか》は証明《しょうめい》されたものの、夏に火鉢《ひばち》をたくのは暑苦しい。

だから、この商品はあまり広まらなかった。

（でも、除虫菊《じょちゅうぎく》が蚊《か》にも有効《ゆうこう》なことはわかったんだ。何かいい方法はないものか。）

日々《ひび》、ウエヤマ氏がこの問題を考え続けたおかげなのか――彼《かれ》はある日、ぐうぜんの出会いから大きなひらめきを得《え》た。

旅先で、たまたま宿でいっしょになったのが仏壇《ぶつだん》線香屋の息子だったのである。

(なるほど！　線香にすればいいんだ！)

家にまいもどったウエヤマ氏はさっそく除虫菊《じょちゅうぎく》の粉《こな》をねりこんだ線香をつくりはじめた。

こうして1890（明治23）年に、世界初の蚊取《かと》り線香が発売されたのである。

この蚊取《かと》り線香は20センチほどの棒状《ぼうじょう》であった。

今では、蚊取《かと》り線香といえばうずまき型《がた》だ。

しかし、ウエヤマ氏がうずまき型《がた》の蚊取《かと》り線香を発売するのは、だいぶ後のことになる。

そして、うずまき型《がた》をつくり出したことで、蚊取《かと》り線香の売れ行きは飛躍的《ひやくてき》にのびたのだ。
つまり、この棒状《ぼうじょう》の蚊取《かと》り線香には致命的《ちめいてき》な欠点があったのである。

棒状《ぼうじょう》の蚊取《かと》り線香にはどのような欠点があったのだろうか。うずまき型《がた》にするメリットを想像《そうぞう》したうえで、推理《すいり》してほしい。

解《かい》説《せつ》

棒状《ぼうじょう》の蚊取《かと》り線香の欠点は、1本で40分くらいしかもたなかったことだ。しかも棒《ぼう》が細いために煙《けむり》が細く、広範囲《こうはんい》に殺虫成分《さっちゅうせいぶん》が行きわたらない。ただでさえ細くて折れやすいので、長くすればいいというものでもない。うずまき型《がた》にするアイディアを出したのは、ウエヤマ氏の妻《つま》のユキさんで、とぐろを巻《ま》いているヘビを見て思いついたという。試行錯誤《しこうさくご》をくり返し、完成させたうずまき型《がた》では、ひと巻《ま》きで燃《ねん》焼《しょう》時間が7時間。これで一晩中《ひとばんじゅう》、蚊《か》にジャマされずに眠《ねむ》れるようになったのである。

この話の主人公、上山英一郎《うえやまえいいちろう》は「金鳥」の商標で知られる大日本除虫菊株式会社《だいにっぽんじょちゅうぎくかぶしきがいしゃ》の創業者《そうぎょうしゃ》。蚊取《かと》り線香をはじめ、多くの殺虫剤《さっちゅうざい》や衛生製品《えいせいせいひん》を手がけるメーカーだ。

蚊《か》は不快《ふかい》なだけでなく、マラリアやデング熱など感染症《かんせんしょう》ウイルスの運び手でもある。安価《あんか》で手軽な感染症予防《かんせんしょうよぼう》を可能《かのう》にした蚊取《かと》り線香は、世界中で使われているヒット商品だ。

27

殿様《とのさま》の鼻毛

危機《きき》→逆転《ぎゃくてん》？


ときは江戸《えど》時代初期。加賀藩《かがはん》（現在《げんざい》の石川県《いしかわけん》）にて。

加賀藩《かがはん》2代目藩主《はんしゅ》である前田利常《まえだとしつね》につかえる家臣たちは、ひそひそ声で話しあっていた。

「利常殿《としつねどの》はどうしてあの鼻毛が気にならないんだろうな。」

それを言い出したのは、だれだったのか。ともかく、それはここにいる全員がずっと気になっていたことだ。

しかし、主君に面と向かって「鼻毛がみっともない」とは言いにくい。

「以前はそんなことはなかったのに。」

「江戸城《えどじょう》でも、城中の者たちにかげで笑われているよ。はずかしいったらありゃしない。」

「はずかしいといえば、とんでもないことがあったよ。江戸城内《えどじょうない》に『小便禁止《しょうべんきんし》。違《い》反《はん》した者は罰金《ばっきん》、黄金一枚《まい》』と書かれた立て札があってな。利常殿《としつねどの》がその前でいきなり立ち小便をしたんだ。まわりの人があっけにとられていると、『たかが金一枚《まい》が惜《お》しくて小便をガマンしてたまるか！』と高笑いをして立て札に金を投げつけたんだよ。」

「もっとはずかしい話もあるぞ。利常殿《としつねどの》が病気にかかったときがあっただろう？ひさしぶりに江戸城《えどじょう》に出仕したんで、老中にイヤミを言われたら、利常殿《としつねどの》はいきなり着物をたくしあげて……みんなが見ている前で股間《こかん》をさらして『すまんのう。病気でここが痛《いた》くてたまらんのじゃ』って言ったんだ。穴《あな》があったら入りたかったよ。」

一同はクスクスしのび笑いをし、それからため息をついた。

「利常殿《としつねどの》はいったい何を考えているのやら。」

「笑い話ですまなくなったら困《こま》るなぁ。」

加賀藩《かがはん》は、最大の石高《ごくだか》を有する藩《はん》である。その石高《ごくだか》は将軍家《しょうぐんけ》に次ぐ規模《きぼ》だけに、常《つね》に幕府《ばくふ》から警戒《けいかい》されているのだ。

徳川家《とくがわけ》をおびやかす存在《そんざい》だった豊臣家《とよとみけ》が滅《ほろ》ぼされたように——この時代にあっても、安心していられる状況《じょうきょう》とは言いがたい。

実際《じっさい》、徳川《とくがわ》初代将軍《しょうぐん》である家康《いえやす》が病の床《とこ》についたとき、こんなことがあった。

利常《としつね》が、家康《いえやす》の見舞《みま》いに出かけていくと、そこで家康《いえやす》本人の口から「そなたを殺《ころ》す計画があった」と告《つ》げられたのだ。

家康《いえやす》は、利常《としつね》の反逆《はんぎゃく》を疑《うたが》い、自分の後継《あとつ》ぎである秀忠《ひでただ》に何度か「利常《としつね》を討《う》て」と進言したそうなのだ。「だが、秀忠《ひでただ》は実行に移《うつ》さなかった。ヤツに感謝《かんしゃ》しろ」と——家康《いえやす》は、旅立つ前の置き土産《みやげ》に話したわけなのだ。

とはいえ、徳川《とくがわ》2代将軍《しょうぐん》・秀忠《ひでただ》の時代になっても、将軍家《しょうぐんけ》との関係に心配が消えたわけでもなかった。

加賀藩《かがはん》が幕府《ばくふ》に断《ことわ》りもなく金沢城《かなざわじょう》を修復《しゅうふく》したとか、船を購入《こうにゅう》したなどの行動を、何かと「謀反《むほん》の疑《うたが》い」に結びつけてケチをつけられていたのである。

間に入って取りなしてくれた人がいたおかげで、どうにか大ごとにならずにすんできたのだが……。

「ただでさえ、つまらないことで言いがかりをつけられるんだ。幕府《ばくふ》の神経《しんけい》を逆《さか》なでする要因《よういん》は少しでもなくすべきだ。」

「じゃあ、あの鼻毛からだ。」


利常《としつね》は、家臣たちが何かソワソワしているのに気づいていた。

さっきは、一人がわざとらしく見せつけるように、利常《としつね》の目の前で鼻毛をブチッと引っこぬいていた。

利常《としつね》の視線《しせん》に気づくと、「失礼いたしました」と笑ってみせる。

今度は、ほかの者が手鏡を持って、自分の鼻をのぞきこんだりしている。

(わしに鼻毛がのびていることを気づかせようとしているんだな。)

利常《としつね》がゴホンとせきばらいをすると、みなが注目する。

そこで、利常《としつね》は鼻からつき出ている鼻毛をさわりながら、いつになく重々《おもおも》しく言ったのだ。

「この鼻毛がな……おまえたちを守っているのだぞ。」

家臣たちはポカンとして主君の顔を見つめるばかりだった。


利常《としつね》の言葉は何を意味しているのだろうか。

解説《かいせつ》

これは史実《しじつ》をもとにした話。江戸《えど》時代の加賀藩主《かがはんしゅ》・前田利常《まえだとしつね》は、前田利家《まえだとしいえ》の4男である。利家《としいえ》が藩主《はんしゅ》を務《つと》めていた時代から、加賀藩《かがはん》はしばしば幕府《ばくふ》にけん制《せい》されていた。江戸《えど》時代の初期は戦国時代のなごりが色濃《いろこ》く、幕府《ばくふ》は将軍家《しょうぐんけ》をおびやかす戦力に敏感《びんかん》で、何か目立った動きがあればすぐにつぶそうとしていたのである。

そこで利常《としつね》が取った戦略《せんりゃく》は、自分をアホに見せること。すなわち、安全な人物に見せようとしたのだ。語り伝えられる江戸城《えどじょう》でのおかしなふるまいも、鼻毛をのばすこともその一環《いっかん》だったのだ。

秀忠《ひでただ》に謀反《むほん》の疑《うたが》いをかけられた「寛永《かんえい》の危機《きき》」（1631年）を境《さかい》に、利常《としつね》はより警戒《けいかい》を強め、そのころから鼻毛をのばしはじめたという。一方では金沢城《かなざわじょう》周辺の防《ぼう》御《ぎょ》をかためるなど、ちゃんとまともな政策《せいさく》も行っている。美術工芸《びじゅつこうげい》の発展《はってん》にも力を注ぎ、「加賀《かが》ルネサンス」と呼《よ》ばれる文化を開花させた功績《こうせき》がたたえられている。

28

毒《どく》のある花

危機《きき》→逆転《ぎゃくてん》？

ときは江戸《えど》時代後期。下を向いて開くオレンジ色の花がユラユラとゆれている。その下から華岡《はなおか》先生の顔がのぞいたので、お松《まつ》さんはおしゃべりをやめてあいさつをした。

「華岡《はなおか》先生、こんにちは。」

「こんにちは、お松《まつ》さん。今日も暑いね。」

華岡《はなおか》先生も笑顔《えがお》であいさつを返し、庭の草木に水やりをはじめる。

お滝《たき》さんは声をひそめて、お松《まつ》さんの着物をひっぱった。

「お松《まつ》さん。何かおかしな研究をしているっていうのはあの方？」

「お滝《たき》さんったら。華岡《はなおか》先生はとてもりっぱなお医者さまなのよ。」

お松《まつ》さんはお滝《たき》さんを家の中にひっぱっていった。


江戸《えど》時代の中期以降《いこう》、日本では西洋の医学が取り入れられはじめていた。華岡《はなおか》先生は最先端《さいせんたん》の西洋医学を学び、外科手術《しゅじゅつ》まで身につけていると評判《ひょうばん》だった。もちろん伝統的《でんとうてき》な東洋医学もしっかり学んでいて、漢方薬の研究にも熱心だ。

「でもねぇ、お松《まつ》さん。華岡《はなおか》先生のお庭にある花ってマンダラゲでしょ？　マンダラゲって毒《どく》があるのよ。体をしびれさせる毒《どく》なんですって。華岡《はなおか》先生のお母様って亡《な》くなったでしょ？　それに華岡《はなおか》先生の奥《おく》様は急に目が見えなくなったそうじゃない。変ねって……そう言ってる人がいるのよ。」

お滝《たき》さんは、お松《まつ》さんが目をつりあげているのを見て、最後の方は早口でごまかすように言った。お松《まつ》さんは、くやしさで顔を真っ赤にしている。

「お滝《たき》さん、となりに住んでいるから、あたしは華岡《はなおか》先生のことはよく知っているの。先生はあのマンダラゲを使って、世の中の人のためになる薬の研究をしてるのよ！　そんなことを言うなら、あなたとは絶交《ぜっこう》よ。」

「わかったわ。でも、お松《まつ》さん、十分に注意するって約束してね。」

お滝《たき》さんは、華岡《はなおか》先生のことをまるで信用していなかった。

「だから、あのあと『華岡《はなおか》先生がたいへんなことをやった』って聞いたときは、背《せ》すじがゾッとしたのよ。」

「お滝《たき》さんったら、あたしの言うこと信じてなかったのね。」

のちに仲直りした2人は、このことを笑い話にしたものである。


華岡《はなおか》先生はたしかにマンダラゲから体をしびれさせる成分を取り出していた。それが、どのように世の中の役に立ったのだろうか。

解説《かいせつ》

実在《じつざい》した医者、華岡青洲《はなおかせいしゅう》はさまざまな病気やケガの治療《ちりょう》を行うかたわら、熱心に麻酔薬《ますいやく》の研究をしていた。そして、華岡《はなおか》は「通仙散《つうせんさん》」という飲むタイプの麻酔薬《ますいやく》を完成させた。これはマンダラゲ（チョウセンアサガオ）や他の植物の成分を調合したもの。マンダラゲの毒《どく》には、体をしびれさせる作用がある。華岡《はなおか》はこの成分を利用し、体の感覚をまひさせれば痛《いた》みを感じにくくなり、外科手術《しゅじゅつ》の痛《いた》みにたえられると考えたのだ。１８０４年、華岡《はなおか》は乳《にゅう》ガン患者《かんじゃ》の女性《じょせい》に「通仙散《つうせんさん》」を服用させ、世界初の全身麻酔《ますい》による外科手術《しゅじゅつ》を成功させた。

患者《かんじゃ》の体でいきなり「通仙散《つうせんさん》」を試すわけにはいかない。動物実験も行なっていたようだが、華岡《はなおか》の母と妻《つま》は自分から使用テストに参加することを申し出たという。2人の死と失明との関連性《かんれんせい》はあきらかではない。その後も華岡《はなおか》はこの麻酔薬《ますいやく》を使って多くの手術《しゅじゅつ》を行った。その後、全身麻酔《ますい》には西洋で発明されたエーテルやクロロフォルムなど気体を吸引《きゅういん》する麻酔法《ますいほう》が使われるようになっていく。

29

女王からの贈《おく》り物

危機《きき》→逆転《ぎゃくてん》？

2000年以上昔のこと。

古代エジプトの女王、クレオパトラは人生最大のピンチに立たされていた。

クレオパトラはエジプト王である父の亡《な》きあと、17歳《さい》で女王となった。とはいえ、クレオパトラの権力《けんりょく》は2分の1だ。父が「8歳《さい》下の弟であるプトレマイオス13世と共同でエジプトを治めるように」との遺言《ゆいごん》をのこしたためである。

クレオパトラは幼《おさな》いころから賢《かしこ》く、また美しく、若《わか》いながらに女王の風格《ふうかく》を備《そな》えていた。一方のプトレマイオス13世はまだものもわからない少年で、政治《せいじ》を行えるわけがない。それだけにプトレマイオス13世の側近たちは、彼《かれ》の代弁者《だいべんしゃ》という立場で幅《はば》をきかせていた。

クレオパトラは、プトレマイオス13世の側近たちと対立するようになった。やがて、クレオパトラは王位をうばわれ、王宮から追放されてしまったのである。

（わたしはエジプトの女王よ。このままひき下がってたまるものですか。）

クレオパトラは、自分をしたう家来とともに王宮から遠くはなれた町に身を隠《かく》してチャンスをうかがっていた。

そんなある日、家来のアポロドロスがよいニュースを運んできたのだ。

「クレオパトラ様。ローマのカエサル将軍《しょうぐん》がエジプトを訪《おとず》れ、王宮に滞在《たいざい》しているそうでございます。」

「なんですって、カエサル様が⁉」

カエサルという男こそ、クレオパトラが今一番会いたいと思っている人物だった。

ローマとエジプトは同盟関係《どうめいかんけい》にある。カエサルはエジプト国内が権力争《けんりょくあらそ》いでもめているのを知り、いざこざを治めるためにやって来たのだという。

「カエサル様に会えば、きっとわたしの味方になってくれるはず。彼《かれ》の心を引きつける自信はあるわ。」

クレオパトラはカエサル将軍《しょうぐん》に会ったことはないが、彼《かれ》にあこがれていた。知的で文章も演説《えんぜつ》もうまく、政治力《せいじりょく》にすぐれた大将軍《だいしょうぐん》。豊《ゆた》かな資金《しきん》とよく訓練された軍隊を持つ——ローマの強さはカエサル将軍《しょうぐん》が築《きず》いたものなのだ。

そもそもクレオパトラは、ローマとの関係をより深め、手を結んでいきたいと考えていた。弟側についている大臣たちは逆《ぎゃく》の考えだ。

「わたしが女王にもどったらカエサル様からいろいろなことを学んで、エジプトをもっと強い国に育てるわ。」

クレオパトラは、エメラルドグリーンの瞳《ひとみ》をキラキラ輝《かがや》かせて語った。

しかし、アポロドロスの顔色はさえない。

「ですが、クレオパトラ様が王宮に入ることは不可能《ふかのう》です。王宮どころかアレクサンドリアの町にさえ入ることはできないでしょう。」

クレオパトラをもどって来させないため、町のあちこちに王宮の見張《みは》りがいるのをアポロドロスは知っていた。見つかったら追い出されるだけではすまず、殺《ころ》されかねない。

クレオパトラは少し考えこんでいたが、やがてパッと顔を上げた。

「アポロドロス。とびきり上等な美しいじゅうたんを用意してちょうだい。それをプレゼントとしてカエサル様に贈《おく》るのよ。」

「はぁ、じゅうたんですか。」

アポロドロスには、クレオパトラの言葉の意味がわかった。

エジプトでは、こっそり特別な頼《たの》みごとをするときに、じゅうたんに高価《こうか》な宝石《ほうせき》などをくるんで贈《おく》る風習がある。いわゆる「賄賂《わいろ》」である。

（しかし、ローマで最高の地位にあるカエサル将軍《しょうぐん》が、いまさら宝石《ほうせき》くらいで心を動かされるだろうか。）

アポロドロスが疑問《ぎもん》に思っているのを察したのか、クレオパトラは優雅《ゆうが》なほほえみを浮《う》かべてつけ加えた。

「だいじょうぶ。作戦があるのよ。必ずうまくいくわ。」

クレオパトラはカエサル将軍《しょうぐん》に会うことを第一の目的としている。どのような作戦を考えたのだろうか。

解説《かいせつ》

クレオパトラは、大きなじゅうたんにくるまった。そして、そのじゅうたんを「将軍《しょうぐん》への贈《おく》り物《もの》」として運ばせたのだ。この作戦は大成功。クレオパトラはまんまとエジプト王宮への潜入《せんにゅう》に成功したのだ。カエサルはじゅうたんの中から人が出てきたのに驚《おどろ》いたが、すぐに美しくて頭のいいクレオパトラにほれこんだ。これは実《じっ》際《さい》にあったといわれる有名なエピソードである。

カエサルは、クレオパトラと和解《わかい》するようにプトレマイオス13世の側近たちに働きかけてくれた。納得《なっとく》できないプトレマイオス13世派《は》はカエサルに攻撃《こうげき》をしかけてきたが、敗れてしまう。クレオパトラは望み通り、カエサルと手を組みながらエジプトの権力《けんりょく》を握《にぎ》ることになったのだ。

クレオパトラはその後もさまざまな権力者《けんりょくしゃ》を味方につけながらエジプトに君臨《くんりん》し続ける。だが、最後は敵《てき》の捕虜《ほりょ》となり、毒《どく》ヘビに我《わ》が身をかませて亡《な》くなったと伝えられている。

30

祈《いの》り

危機《きき》→逆転《ぎゃくてん》？

1400年ほど昔のこと。アラビア半島の都市、メッカにて。

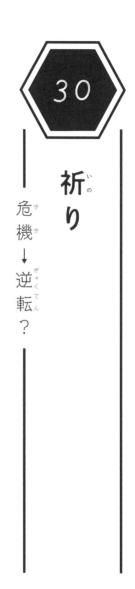

「ムハンマド様はどんなお話をされるのだろう。『今日は特別なことをするからぜひ集まるように』と言われているが。」

「聞いたところでは、『山を動かしてみせる』らしいぞ。」

「それは本当か？」

集まった人々《ひとびと》は、ムハンマドが現《あらわ》れるのを今か今かと待っていた。

ムハンマドは、イスラム教の創始者《そうししゃ》である。彼《かれ》がイスラム教を開いたのは40歳《さい》のときだ。どうくつの中で瞑想《めいそう》していたところ、不意に神の言葉を授《さず》かり、自分が神の使者であると自覚したという。

当時、メッカの人々《ひとびと》は「楽しくすごせることが一番だ」という考えを持っていたが、ムハンマドは神の教えにしたがい「みんな平等に、正しく生きる道」を説きはじめた。当初、イスラム教の信徒になったのはムハンマドの妻《つま》や親せきだけだったが、その数はしだいに増《ふ》えていったのだ。


さて、信徒たちの前に立ったムハンマドは、いつものように「神に対し、ゆるぎない信仰心《しんこうしん》を持ちなさい」と説いた。それから、こう続けたのである。

「その強い心があれば、あの山だって動かすことができるのです。わたしは今から、山をここへ呼《よ》んでみることにします。」

短くざわめきが起こり、すぐに静まり返った。人々《ひとびと》が見守る中、ムハンマドは山に向かってひざまずき、祈《いの》りをささげる。

山は、動かない。

ムハンマドはくり返し呼《よ》びかけを行ったが、山は動くことはなかった。

がっかりした気持ちを顔に出さないようにつとめた者もあれば、こんなふうに口にした者もあった。

「なんだ。やっぱり山を動かすなんて無理じゃないか。」

だが、ふり返ったムハンマドは決まり悪そうにすることもなく、静かなほほ笑《え》みをたたえていた。

そして、彼《かれ》が次に口にした言葉とその行動に――信徒たちは深く感動し、さらに彼《かれ》を尊敬《そんけい》したのである。


ムハンマドはどんな行動を取ったのだろうか。

ムハンマドは、「わたしは山にここに来るように呼《よ》びかけたが、山にはそのつもりがないようだ。それなら、わたしが山の方へ行こうじゃないか」と言うと、山に向かって歩きはじめたのである。

これは、単なる言いのがれではない。ムハンマドは、この言動によって「期待したことが起こらなかったとしても、信ずることをやめない。信仰《しんこう》とはそういうものだ」という強い気持ちを伝えたのである。ムハンマドがあらかじめこうした事態《じたい》を想定していたかはわからないが、「山を呼《よ》ぶ」と言いながら、「自分が山の方に歩を進める」とした考え方は、前向きな人生観を表現《ひょうげん》した奥深《おくしん》いものに思える。人間を導《みちび》く「考え方」もまた、世の「発明」同様に新たな未来を築《きず》くものだ。

イスラム教は、世界でキリスト教の次に信者が多いとされる宗教《しゅうきょう》だ。アッラーを唯一《ゆいいつ》の神として信じ、信徒（ムスリム）には聖地《せいち》メッカに向いて1日に5回礼拝《れいはい》をする、イスラム暦《れき》の9月に断食《だんじき》をするなどの義務《ぎむ》がある。

31

大作曲家の憂鬱《ゆううつ》

危機《きき》→逆転《ぎゃくてん》?

今から400年ほど昔のこと。ヨーロッパにて。

スカルラッティは苦虫をかみつぶしたような顔で庭を歩き回っていた。彼《かれ》は有名な作曲家で、すぐれたチェンバロ（ピアノに似《に》た楽器）の演奏家《えんそうか》でもある。

だが、ここのところ調子が悪く、作曲のアイディアがまとまらないのだ。

「先生！」

声をかけられてふり向くと、弟子《でし》のアントニオが顔をのぞかせた。

「ああ、今日は君のレッスンだったか。先に音楽室に行っていてくれ。」

「はい、わかりました。」

アントニオは心配そうに師匠《ししょう》の横顔を見ながら屋敷《やしき》に入っていった。

（かなり重症《じゅうしょう》みたいだな。）

アントニオはスカルラッティの気持ちをほぐそうと子犬を連れてきたのだが、彼《かれ》はチラリと見ただけで何も言わなかった。

（先生は動物が好きだから喜《よろこ》ぶと思ったのに。）

子犬を抱《だ》いて音楽室に入っていくと、窓辺《まどべ》に寝《ね》そべっていたスカルラッティの飼《か》い猫《ねこ》がこっちを見た。

「こんにちは。今日はお友達を連れてきたよ。」

猫《ねこ》はひと声鳴いてチェンバロの鍵盤《けんばん》の上に飛びおりた。アントニオが子犬を差し出すと猫《ねこ》は毛を逆立《さかだ》て、ツメを立てて向かってくる。

「いてててて！」

ひっかかれたアントニオが思わず子犬から手をはなすと、猫《ねこ》と子犬の取っくみあいが始まった。しかし、スカルラッティ家の猫《ねこ》の強いこと。まもなく子犬は床《ゆか》に落とされ、猫《ねこ》は得意《とくい》げに鍵盤《けんばん》の上をはね回った。

ニャンニャン　キャンキャンクゥーン　♪ピンポロピンポロロン
「おい、なんの騒《さわ》ぎだ！」

部屋に入ってきたスカルラッティは、めちゃくちゃな騒《さわ》ぎに目を白黒させた。

「すみません、ぼくが子犬を連れてきたのが悪かったんです。」

アントニオはけん命にあやまったが、スカルラッティは彼《かれ》に背《せ》を向けて言った。

「アントニオ、レッスンは取りやめだ。今日は帰ってくれ。」

アントニオは破門《はもん》にされるのを覚悟《かくご》して、とぼとぼと帰路についた。

しかし——後日、おそるおそるアントニオがスカルラッティを訪《たず》ねてみると、彼《かれ》は意外なことに上きげんで迎《むか》えられたのである。


なぜスカルラッティはアントニオを怒《おこ》らなかったのだろうか。

解説《かいせつ》

スカルラッティは、猫《ねこ》が鍵盤《けんばん》の上をはね回るメロディーからアイディアを得《え》て、新しい曲を作ることができたのだ。つまり、そのきっかけを作った弟子《でし》には感謝《かんしゃ》こそすれ、怒《おこ》る理由はない。「帰ってくれ」と言いわたしたときは怒《おこ》っていたのではなく、猫《ねこ》の奏《かな》でる音を聞くことに集中していたのだ。このときできた曲は『猫《ねこ》のフーガ』と呼《よ》ばれている。

ドメニコ・スカルラッティはバッハやヘンデルと同時代に活躍《かつやく》した作曲家だ。これは実話をもとにした話だが、事実ではないともいわれる。どちらにしても天才音楽家なら、偶然《ぐうぜん》に生まれためちゃくちゃな音の配列を取り入れて自分の曲を作り上げるくらいはできるはず。実際《じっさい》に猫《ねこ》をピアノに放った作曲家もいたりして⁉

32

売れない芸術家《げいじゅつか》

危機《きき》→逆転《ぎゃくてん》？

数百年ほど昔。イタリアのとある町にて。

その日、ピエトロを訪《たず》ねてきたジョバンニはひどく暗い顔をしていた。

「ジョバンニ、何かあったのか？」

ピエトロが聞くと、ジョバンニは無言で床《ゆか》から皮袋《かわぶくろ》を取り上げた。そして、石の彫刻品《ちょうこくひん》を机《つくえ》の上に置いたのである。

「ピエトロ、これをどう思う？」

「なんて美しい天使像《てんしぞう》だ。これまでの作品の中でも一番のできだな！」

「ありがとう。ところが、依頼《いらい》してきたヤツがイメージとちがうから買わないって言い出したんだ。」

ジョバンニは深いため息をついた。

「気を落とすなよ。金持ち連中は芸術《げいじゅつ》を見る目がないヤツらばっかりだ。あいつらは作者が有名だとか、あらかじめ評価《ひょうか》されてるものしか欲《ほ》しがらないのさ。」

「じゃあ、無名のオレはいつまでも貧乏《びんぼう》なままだな。えらい先生の弟子《でし》にでもなって、名前を売っていくしかないのか。それがイヤで一人でやってきたのに。」

ピエトロは、焼《や》き栗《ぐり》と安ワインをジョバンニにすすめた。

「商人のはしくれとして言わせてもらうと――ウケそうな作り話でもでっちあげれば、金持ちのご婦人《ふじん》に売れるかもな。『この天使像《てんしぞう》はあなたに恋《こい》こがれていた若《わか》い芸術家《げいじゅつか》が、あなたに捧《ささ》げるために作ったものです』。こういうのはどうだ?」

「もし売れても『作者を連れてこい』って言われたら困《こま》るよ。まあ、オレも金になるならインチキなエピソードをくっつけるくらいはかまわないさ。」

ジョバンニは捨《す》てばちな調子で言った。

「しばらくオレに預《あず》からせてくれ。いずれ金持ちに売りつけてみせるよ」

そう言うとピエトロは彫刻《ちょうこく》を手に台所の奥《おく》に行き、つぼを引きずり出した。そのつぼはジョバンニがよく焼き物を作っていたころにピエトロにプレゼントしたもので、ピエトロはこれを栗《くり》の保存用《ほぞんよう》に使っていた。砂《すな》を入れたつぼの中に栗《くり》を入れて長期保存《ほぞん》するのは庶民《しょみん》の常識《じょうしき》である。

（このつぼを贈《おく》ったときもピエトロは絶賛《ぜっさん》してくれたんだけどな。こんなふうに使われてるとはちょっとガッカリだ。）

ジョバンニの視線《しせん》を感じたピエトロはふり向いてニヤリとした。

「このつぼも、そのうち高値《たかね》で売れるかもしれないな。」

そして、つぼの中に彫刻《ちょうこく》をつっこむと念入りに砂《すな》をかぶせたのである。

ピエトロは、なぜ彫刻《ちょうこく》をつぼに入れたのだろうか。

解《かい》説《せつ》

ピエトロはこの彫刻《ちょうこく》を「古代ローマの出土品」ということにして、ミーハーな金持ちに売りつける作戦を考えたのである。そのためには、ほどよく「汚《よご》し」をかける必要があるので、砂《すな》のいっぱい入ったつぼに入れたのだ。実はピエトロは、このつぼも同じように売るつもりでいた。

このように出どころをいつわって物を売るのは詐欺行為《さぎこうい》。もちろんりっぱな犯罪《はんざい》である。実は、歴史上《れきしじょう》にも似《に》たような事件《じけん》がある。ルネサンス期の巨匠《きょしょう》、ミケランジェロは若《わか》いころにパトロンにけしかけられ、古代ローマの発掘品《はっくつひん》に見せかけた彫《ちょう》刻《こく》を作っている。それは美術《びじゅつ》愛好家に高値《たかね》で買われるも、結局はインチキだとバレてしまう。愛好家は恥《はじ》をかいたが、この事件《じけん》はミケランジェロの「古代の名作と見まがうほどの技量《ぎりょう》」を知らしめるきっかけになったともいわれる。

33

ナンバーワン絵《え》師《し》に成り上がる方法

作戦↓なぜ？

ときは江戸《えど》時代後期。今から200年ほど前のこと。

「う～ん、すごい。さすがは葛飾北斎《かつしかほくさい》だ！」

浮世絵師《うきよえし》の歌川広重《うたがわひろしげ》は、同業の大先輩《せんぱい》である葛飾北斎《かつしかほくさい》の新作『富嶽三十六景《ふがくさんじゅうろっけい》』を前にゴクリとつばをのんだ。

浮世絵《うきよえ》とは、世の中の風俗《ふうぞく》を描《えが》いた絵のこと。江戸《えど》時代に入って花開いた庶民《しょみん》文化の一つで、このころは歌舞伎役者《かぶきやくしゃ》や美女、戦国の時代に活躍《かつやく》した武将《ぶしょう》や合戦の様子を描《えが》いた絵が流行していた。

広重《ひろしげ》は若《わか》くして浮世絵師《うきよえし》としてデビューしたものの、これといったヒット作がない。

美人画や役者画よりも風景画に本腰《ほんごし》を入れはじめたのは、旅行ブームが起こっていた影響《えいきょう》もある。

江戸《えど》時代には、参勤《さんきん》交代のため全国の街道が整備《せいび》された。庶民《しょみん》も、神社仏閣《じんじゃぶっかく》を詣《もう》でる名目で旅をするようになり、しだいに「娯楽《ごらく》」として観光旅行を満喫《まんきつ》するようになる。

35歳《さい》になった広重《ひろしげ》が江戸近郊《えどきんこう》を描《えが》いた風景画集『東都名所《とうとめいしょ》』は、自信作のはずだった。

しかし、出版《しゅっぱん》されてもまったく評判《ひょうばん》にならない。同じ時期に出版《しゅっぱん》された北斎《ほくさい》の『富嶽三十六景《ふがくさんじゅうろっけい》』の前では、すっかりかすんでしまったのだ。

『富嶽三十六景《ふがくさんじゅうろっけい》』は、日本人が愛する富士山《ふじさん》の姿《すがた》をさまざまな角度から切り取ったシリーズだ。波しぶきの合間にのぞく富士《ふじ》の高嶺《たかね》、花見を楽しむ人々《ひとびと》の向こうにそびえる姿《すがた》、快晴《かいせい》の夏空に赤く染《そ》まって見える山肌《やまはだ》といった具合に。

「オレは風景画でもダメなのか……。」

広重《ひろしげ》は、がっくりとしずみこんだ。

だが、しばらくして。広重《ひろしげ》のもとに仕事の依頼《いらい》がまいこんだのである。

「うちの出版社《しゅっぱんしゃ》から風景画のシリーズを出版《しゅっぱん》しませんか？　北斎《ほくさい》先生の『富嶽《ふがく》三十六景《さんじゅうろっけい》』が大ヒットしたことで、風景画が大人気ですからね。」

竹内《たけうち》と名乗る男は、目をキラキラ輝《かがや》かせて言った。

広重《ひろしげ》は、ぐっと返事につまった。風景画がはやっていようと、売れないものは売れないのは自分がよくわかっている。

だまっていると、竹内《たけうち》は言った。

「広重《ひろしげ》先生に、東海道《とうかいどう》五十三次《ごじゅうさんつぎ》を描《か》いてほしいんです。」

「なるほど、東海道五十三次《とうかいどうごじゅうさんつぎ》か……。」

東海道とは、江戸《えど》と京都《きょうと》を結ぶ街道だ。宿泊所《しゅくはくじょ》や食事どころなどを備《そな》えた53の宿場があるので、「東海道五十三次《とうかいどうごじゅうさんつぎ》」と呼《よ》ばれている。

「いい企画《きかく》でしょ？　『富嶽三十六景《ふがくさんじゅうろっけい》』の影響《えいきょう》で旅行ブームもさらに高まっているし。53の宿場をすべて描《えが》くわけですよ。『東海道中膝栗毛《とうかいどうちゅうひざくりげ》』のファンにも売れるはずです。」

じつは、さかのぼること30年ほど前――『東海道中膝栗毛《とうかいどうちゅうひざくりげ》』という小説が庶民《しょみん》の旅行熱に火をつけたのである。これは弥次《やじ》さん、喜多《きた》さんという2人の男が東海道を旅する物語。東海道にそって土地の名所、名物をちりばめつつ、2人がめちゃくちゃないたずらや失敗をやらかしては大さわぎをくり返す。大爆笑《だいばくしょう》もののベストセラー小説だ。続編《ぞくへん》もたくさん書かれ、長年にわたり読みつがれている。

「わかりました。引き受けます。」

「そうこなくっちゃ。絶対《ぜったい》ヒット作にしましょうね。」

意気ようようと帰っていく竹内《たけうち》の背中《せなか》をながめながら、広重《ひろしげ》の胸《むね》の中には熱い気持ちがみなぎっていた。

(北斎《ほくさい》先生は大ベテランの超天才《ちょうてんさい》だ。だけど、オレだって実力は評価《ひょうか》されている。『富嶽三十六景《ふがくさんじゅうろっけい》』のおかげで風景画がはやっているなら、その波に乗っかってやろうじゃないか。売れるためのアイディアは必要だが……。)

広重《ひろしげ》は、『東海道中膝栗毛《とうかいどうちゅうひざくりげ》』をじっくり読みながら構想《こうそう》をねりはじめた。

「あらためて読むと、やっぱりおもしろいや。この弥次《やじ》さん、喜多《きた》さんコンビのダメっぷりが最高なんだよなぁ。」

ゲラゲラ笑いながら本を読んでいた広重《ひろしげ》は、ふとまじめな顔になった。

「そうだ、そこなんだよなぁ。」

そして、彼《かれ》が心に誓《ちか》った通り――広重《ひろしげ》の『東海道五十三次《とうかいどうごじゅうさんつぎ》』は、北斎《ほくさい》の『富嶽三十六景《ふがくさんじゅうろっけい》』をも超《こ》える空前の大ヒット作となったのだ。

広重《ひろしげ》は『東海道五十三次《とうかいどうごじゅうさんつぎ》』を描《か》くにあたり、ある工夫をこらした。そのことも売れた一因《いちいん》といわれている。広重《ひろしげ》はどんなアイディアを盛《も》りこんだのだろうか。

解《かい》説《せつ》

広重《ひろしげ》の『東海道五十三次《とうかいどうごじゅうさんつぎ》』は53の宿場にスタート地点の江戸《えど》・日本橋《にほんばし》とゴール地点の京都《きょうと》・三条大橋《さんじょうおおはし》を加えた55図からなるシリーズ作品。名所や名物をしっかり盛《も》りこみ、また人々《ひとびと》の息づかいを叙情的《じょじょうてき》に描《えが》き出し、旅歩きの楽しさを伝えるものだった。広重《ひろしげ》の工夫とは、ときおり『東海道中膝栗毛《とうかいどうちゅうひざくりげ》』（十返舎一九《じっぺんしゃいっく》・作）の人気キャラクターである弥次《やじ》さん、喜多《きた》さんらしき人物をちゃっかり登場させていること。たとえば丸子宿《まりこじゅく》（静岡県《しずおかけん》）の図にはとろろ汁《じる》を食べる2人の男が描《えが》かれているが、それはまさに『東海道中膝栗毛《とうかいどうちゅうひざくりげ》』にあったシーン。

北斎《ほくさい》が開いた風景画ブームに乗っかり、大ヒット小説に乗っかり——チャンスに乗じて実力を開花させた広重《ひろしげ》もまた大天才である。

34

別れの手紙

危機《きき》↓逆転《ぎゃくてん》？

「あいつ、まだあきらめてないのか。手紙なんか寄《よ》こしたぞ。」

執事《しつじ》が持ってきた郵便物《ゆうびんぶつ》の束の中にリミあての封筒《ふうとう》を見つけて、わたしはまゆをひそめた。

「お父様。それ、ダイキチくんからの手紙？」

リミがかけ寄《よ》ってきて封筒《ふうとう》に手をのばしたが、わたすわけにはいかない。封《ふう》を開けると、リミは泣き声をあげた。

「やめてよ！　わたしあての手紙なのに！」

「読むなとは言ってない。保護者《ほごしゃ》としてわたしも目を通させてもらうだけだ。」

つい1週間前のこと。ダイキチという男が家を訪《たず》ねてきて「お嬢《じょう》さんと結婚《けっこん》させてほしい」と言ったとき、どんなに驚《おどろ》いたことか。返事はもちろん「ノー」だ。大事な一人娘《ひとりむすめ》は、わたしの後を継《つ》いでりっぱに次期社長を務《つと》めることができる優秀《ゆうしゅう》な男と結婚《けっこん》させるつもりなのだ。

わたしはリミに彼《かれ》と別れるように話したが、納得《なっとく》しない。スマートフォンを取り上げ、外出を禁止《きんし》したが、いつまでも家にとじこめておくわけにもいかない。

そこでイギリスに住むわたしの弟夫妻《ふさい》の元に置いてもらい、向こうの大学に通わせることにしたのだ。

まだ二十歳《はたち》そこそこだから、無理にでも引きはなせばあんな男のことなど忘《わす》れてしまうだろう。

あいつは見るからに金がなさそうだから、まさかイギリスまでは追いかけていくこともないだろうし。

わたしは封筒《ふうとう》からびんせんを取り出した。

リミが後ろからのぞきこむ。

「リミへ
先週きみの家を訪《おとず》れて、お父さんに結婚《けっこん》を反対されてからオレもいろいろ考えたよ。

まったく連絡《れんらく》がとれないところを見ると、きっとスマートフォンを没収《ぼっしゅう》されたんだろうね。それとも、お父さんに説得《せっとく》されてぼくと縁《えん》を切る決心をしたのかな。まあ、どっちでもいいや。

やっぱりまわりの人たちが反対している四面楚歌《しめんそか》の状態《じょうたい》で、結婚《けっこん》を押《お》し切るなんてよくないことだよね。混乱《こんらん》していて五里霧中《ごりむちゅう》という感じだったけど、やっと気持ちが整理できたから手紙を書くことにしたんだ。

毎日どうにか仕事に出かけては夜中に帰ってきて、だれと会うこともなくひたすら考え続けた。きのう、十五夜のきれいなお月様を見ながら……ふと決心がついたんだ。

別れよう。二度ときみには会わない。

はずかしい話だけど、職場《しょくば》の同僚《どうりょう》にひどく八つ当たりをしちゃって、気まずくなったから今の勤《つと》めもやめることにした。こうなったら何もかも新しくやり直そうと思ってさ。

きみに四つ葉のクローバーをあげたことがあったね。五月晴《さつきば》れの美しい日だった。

あのときは、きみを本当に幸せにできるつもりだった。心からそう思っていた。

だけど、オレには無理なようだ。

ウソつき！　そう非難《ひなん》するきみの顔が見えるようだ。

オレは南の街へ引っ越《こ》すことにした。住所は知らせない。

正真正銘《しょうしんしょうめい》、これが最後の手紙だ。

地球には何億もの人間がいる。

オレのことは忘《わす》れて新しい出会いを見つけてくれ。きみの幸せを、遠くから祈《いの》っているよ！　お父さんにもあやまっておいてくれ。４６４９！　ダイキチ」

ふう、よかった。どうやらあきらめてくれたらしい。

リミは目に涙《なみだ》をためている。かわいそうだが、しょうがない。

手紙をわたすとリミはびんせんに目を落とし、ゆっくりとたたんでポケットに入れる。

そして、「部屋に行ってるね」とだけ言って階段《かいだん》を上がっていった。

夕食のときには、リミは元気を取りもどしていたのでホッとした。あいつはこの街をはなれ、リミは来週にはイギリスにわたる。

これで一件落着《いっけんらくちゃく》だと思ったのだが――。

翌朝《よくあさ》、リミはいなくなっていたのである。


この手紙は、実は暗号文になっていた。リミは最後に書かれた「4649」をヒントに、かくされたメッセージを解読《かいどく》した。暗号を解《と》いてみてほしい。

解説《かいせつ》

「4649」を「よろしく」と読む語呂合《ごろあ》わせはよく知られるものだが、別れの手紙を締《し》めくくるのにどうも不似合《ふにあ》いだ。違和感《いわかん》を覚えたリミは、これがヒントになっている暗号文だと察したのである。

「4649」と書いたのは、「数字の言葉に注意せよ」というメッセージ。

手紙の中から数字を表す言葉を拾っていくと、「四（四面楚歌《しめんそか》）、五（五里霧中《ごりむちゅう》）、十五（十五夜）、二（二度）、八（八つ当たり）、四（四つ葉）、五（五月晴れ）、億（何億）」。

「四五十五二八四五億」は、「しごとごにはしごおく（仕事後にはしご置く）」と読める。手紙の文中には、彼《かれ》が「仕事の後夜中に帰ってくる」ことが示《しめ》されている。つまり、夜中にリミの2階の部屋の窓《まど》にはしごをかけに来ると伝えているのだ。

リミははしごで部屋をぬけ出し、ダイキチとのかけ落ちに成功した。さすがのお父さんも折れて、のちに2人はめでたく結婚《けっこん》したという。

35

ピアノ対決

危機《きき》→逆転《ぎゃくてん》？

「ピアノってむずかしいんだなぁ。簡単《かんたん》そうに見えたんだけど。」

オレが言うと、タッちゃんはあきれたような顔をした。

「経験《けいけん》ゼロなのに文化祭でピアノを弾《ひ》くなんてムチャな約束するよなぁ。」

「2週間もあればなんとかなると思ったんだよ。」

オレは頭をかかえた。両手の指をバラバラに動かすなんて難《むずか》しすぎる！

うちのクラスのシバタってヤツが、音楽の授業《じゅぎょう》の後にピアノを弾《ひ》いてて女子にカッコいいとか言われてるのが気にくわなくってさぁ。「そのくらいたいしたことない」ってケチをつけたらあいつもつっかかってきてさ。

売り言葉に買い言葉で、文化祭のステージでピアノ対決することになっちゃったわけ。ずばり「ウケた方が勝ち」ってルールでさ。

このルールに決めた時点で、オレにはちょっと勝算があったんだ。シバタが弾《ひ》いてるようなモーツァルトだかなんだかのクラシックなんか、ふつうの高校生が好きなわけないじゃん。退屈《たいくつ》だと思ってるヤツの方が多いはず。

そこでオレが、技術的《ぎじゅつてき》にはかんたんでみんなが好きなアニメ映画《えいが》のテーマ曲なんかをバッチリ弾《ひ》いたら勝てると思ったんだ。

で、となりに住んでる音大生のタッちゃんに頼《たの》みこんでピアノを教えてもらうことにしたんだけど。

「考え方はよかったと思うけど、2週間でマスターするのは無理だろうね。」

「そうかぁ。なんかさ、かんたんでカッコよくキマるのない？　ロックでも即興演《そっきょうえん》奏《そう》とかあるじゃん。」

「即興《そっきょう》って実はむずかしいんだよ。ピアノを知らない人がただメチャクチャに鍵盤《けんばん》をたたいたってカッコよくはならない。」

オレがしょんぼりしていると、タッちゃんは「待てよ」と小さくつぶやいた。

「ウケさえすればいいんだよね？　それなら、策《さく》がないでもない。」

「それ、2週間でできるようになる？」

タッちゃんはニヤッと笑った。

「明日でもできるよ。少々反則《しょうしょうはんそく》かもしれないけど、れっきとした名曲を教えるよ。」

それからオレはいっさいピアノにさわらなかった。

だけど、文化祭本番ではシバタよりはるかにウケまくったんだ。


文化祭本番で、主人公はどんな演奏《えんそう》をしたのだろうか。

解説《かいせつ》

タッちゃんが主人公に教えたのは、ジョン・ケージというアメリカの作曲家の『4分33秒』という曲だ。この曲の楽譜《がくふ》には4分33秒という演奏《えんそう》時間が指示《しじ》されているだけで、音の指定がない。つまり、演奏者《えんそうしゃ》はピアノの前に座《すわ》り、音を出さないで4分33秒を過《す》ごすだけ。とはいえ、この曲の意図は沈黙《ちんもく》を表現《ひょうげん》するなかで、無音の空間から聞こえてくる音を感じることにある。

主人公はタッちゃんの指示《しじ》にしたがい、ピアノの前でいかにも弾《ひ》きはじめそうなポーズを続け、客席のみんなを静かにさせていた。ヤジが飛ぶと指を1本口の前に当てて静かにさせ――演奏《えんそう》が終わって、この曲の解説《かいせつ》をすると大きな拍手《はくしゅ》を浴びたのである。だが、主人公はピアノ演奏《えんそう》の難《むずか》しさを認《みと》め、シバタと仲直りした。

『4分33秒』が最初に聴衆《ちょうしゅう》の前で披露《ひろう》されたのは1952年のこと。評価《ひょうか》については賛否両論《さんぴりょうろん》あるが、世界的に有名な曲である。ピアノだけでなくさまざまな楽器、オーケストラでも「演奏《えんそう》」され続けている。

36

証言《しょうげん》の真実

危機《きき》↓逆転《ぎゃくてん》？

「シンヤ、よかった……。おまえが無事で帰ってきてくれて本当によかったよ。」

製薬会社《せいやくがいしゃ》の社長は、息子のシンヤくんを涙《なみだ》ながらにだきしめた。

誘拐事件《ゆうかいじけん》では、犯人《はんにん》が人質《ひとじち》を無事に返してくれるとはかぎらない。われわれ警察《けいさつ》としては高額《こうがく》の身代金《みのしろきん》をまんまと取られたのはくやしいが、親の気持ちを思えばシンヤくんが生きて帰ってくれただけで十分というしかないだろう。

犯人《はんにん》グループは監禁中《かんきんちゅう》、シンヤくんに食べ物を与《あた》え、乱暴《らんぼう》などはしなかったそうだからタチがいい方だ。12時間ほども監禁《かんきん》されていたにしてはシンヤくんは元気そうだ。そして、彼《かれ》は気丈《きじょう》にもわたしを見上げてこう言ったのだ。

「警察《けいさつ》のおじさん、犯人《はんにん》をつかまえてよ！　ぼく、すごい手がかりを知ってるんだ。」

シンヤくんが誘拐《ゆうかい》されたのは小学校から家に帰ってくる途中《とちゅう》だった。「お父さんの友だちだ」と名乗るサングラスの男に声をかけられ、あっという間に車に押《お》しこまれたのはよくある手口である。すぐに目かくしをされ、口にさるぐつわをかまされたそうだが、車に乗っていたおよその時間がわかるという。

「車に乗ってたのは、だいたい15分くらいだと思うんだ」

「どうしてそれがわかるんだい？」

「ぼく、目かくしをされてから、頭の中で『超硬《ちょうこう》ロボ軍キメイラー』の歌をくり返しうたってたんだ。１分20秒の曲を11回と半分歌ったから、だいたい15分になる計算でしょ？」

わたしは驚《おどろ》きの目でシンヤくんを見つめた。

「きみは名探偵《めいたんてい》の素質《そしつ》があるね。そんなこと、どこで覚えたんだ？」

シンヤくんは、少年探偵《たんてい》が活躍《かつやく》するアニメに出てきたエピソードをそのままマネしたという。ふだんから、ヒマなときにこうやって時間をはかる練習をしているそうだ。

「これは犯人《はんにん》グループのアジトを探《さが》す手がかりになるな。スピード違反《いはん》でつかまるわけにいかないから法定速度で走っていたとすると、だいたいの地域《ちいき》にしぼることができる。」

「それだけじゃないよ。ぼくが監禁《かんきん》されてたのは繁華街《はんかがい》だと思う。カラオケみたいな音が聞こえてきたり、にぎやかだった。」

「うん、実に参考になるね。シンヤくんはずっと目かくしをされてたから外は見えなかったよね。」

「うん。だけど、1回だけ……眠《ねむ》ってイスから落ちたふりをして、少しだけ目かくしをずらしたんだ。」

シンヤくんは、頭の後ろをイスの背《せ》もたれにこすりつける動作をしてみせた。

「すぐに元にもどされちゃったから一瞬《いっしゅん》しか見えなかったけど。窓《まど》のすきまから

『羊料理』って書いてあるネオンサインを見たんだ。」

「羊料理か。」

わたしたちは色めきたった。

「ほかに覚えてることはある？　タテ書きか、横書きか？　ネオンサインの色は？」

「横書きで、ネオンサインの色は青。なんか字が古くさい感じがしたよ。『料理』の『理』の字が部分的に欠けてた。」

「そうか、古い店なのかもしれないな。」

わたしはせっせとメモを取った。

「シンヤくん、これはすごい情報《じょうほう》だ。羊料理の専門店《せんもんてん》なんてそんなに多くはないからね。犯人逮捕《はんにんたいほ》につながるかもしれないよ！」


わたしたちはしぼりこんだ地域《ちいき》の中でいくつかの繁華街《はんかがい》をピックアップした。

ところが、「羊料理」の店は見つからなかったのだ。

シンヤくんはかなりしっかりしているし、探偵術《たんていじゅつ》の心得《こころえ》もある。しかし、小学5

年生ということを考えると……証言《しょうげん》をあまりあてにしない方がいいのか？
わたしは、そんなことを思いながらメモを細かく見直した。
そして——気づいたのだ。考えが浅かったのはわたしたちの方だったと。
シンヤくんは「字が部分的に欠けているところもあった」と言っていた。
それこそ大きいヒントじゃないか！

シンヤくんにはネオンサインは「羊料理」と読めたが、彼《かれ》には見えない部分があったようだ。本当は何と書かれていたのか推理《すいり》してみてほしい。

解説《かいせつ》

主人公は、「ほかにも欠けている部分がある」、あるいは「窓《まど》の中からは見えなかった部分がある」可能性《かのうせい》を考えなければいけなかったことに気づいたのだ。

つまり「羊料理」ではなかったとすると？ 同僚《どうりょう》たちを集めて頭をひねった結果、答えは「西洋料理」ではないかということに。

これこそが正解《せいかい》。シンヤくんの見た角度からは、「西」と「洋」のさんずいの部分が見えなかったのである。

主人公はピックアップした地域《ちいき》の中で「西洋料理」と名乗っている店をしらみつぶしに当たった。ほどなく店を特定し、周辺のビルを捜査《そうさ》してみごとに犯人《はんにん》グループの逮捕《たいほ》に成功したのだ。

37

少年探偵《たんてい》ポロロと伝説の女神像《めがみぞう》

危機《きき》→逆転《ぎゃくてん》？

「ぼく、こんなでっかいエビ見たの初めてだよ。あ、あっちのパイもおいしそう！」

「立食パーティーだからってあんまりがっつくなよ、アーサー。みっともないぞ。」

ぼくはアーサーをたしなめた。天才少年探偵《たんてい》であるぼくと助手のアーサーは、ベルナール夫人の主催《しゅさい》するパーティーに招《まね》かれていた。

大金持ちだけあってテーブルに並《なら》ぶ料理は豪勢《ごうせい》だ。大広間には見たところ50人くらいの人が集まっているが、次から次へと新しい料理が運ばれてくる。

ベルナール夫人とは初対面だったが——夫人はさまざまな業界の「名士《めいし》」を呼《よ》んで交流したいらしい。まあ、ぼくもそこそこ名前が知れているからね。

今日のパーティーでは、ベルナール夫人が最近手に入れた美術品《びじゅつひん》が初披露《はつひろう》されるとあって、美術《びじゅつ》の専門家《せんもんか》もたくさん来ているそうだ。

19世紀《せいき》の伝説的な芸術家《げいじゅつか》、レオナール・デュボアが手がけた女神像《めがみぞう》は、感動的なすばらしさだった。高さ40センチほどだが神々《こうごう》しく、存在感《そんざいかん》がすごい。なんでもデュボアが日本の工芸に影響《えいきょう》を受けて作った珍《めずら》しい作品なのだそうだ。木製《もくせい》の彫刻《ちょうこく》に日本の漆《うるし》という塗料《とりょう》や金を使った作品である。

「ポロロくん、どこ行くの？」

「トイレだよ。」

「え、心細いから一人にしないでよ。ぼくも行く！」

アーサーはあわてて口につめこんだエビをモグモグしながらぼくの後をついてきた。

ところが、大広間の外のろうかに出るやいなや、女神が飾《かざ》られている小部屋からベルナール夫人の悲鳴が聞こえてきたのだ。

部屋にかけこむと、ベルナール夫人が青ざめた顔で立ちつくしていた。

「ポロロさん、女神像《めがみぞう》が盗《ぬす》まれたわ！」

ベルナール夫人は客たちに女神像《めがみぞう》をおひろめした後、みんなといっしょに大広間にもどっていた。だが、なんとなく胸騒《むなさわ》ぎがして小部屋の様子を見に来ると、見張《みは》りの警備員《けいびいん》は床《ゆか》に倒《たお》れ、女神像《めがみぞう》がなくなっていたというのだ。

ベルナール夫人がひと通りまくしたてると、警備員《けいびいん》がうめきながら目を開けた。

「突然《とつぜん》、後ろから頭をなぐられて……ああ、女神像《めがみぞう》がない！」

ぐずぐずしちゃいられない。犯人《はんにん》を早くつかまえなくては。

夫人の悲鳴を聞いてかけつけたベルナール氏や親しい友人たちにその場をまかせ、ぼくはアーサーを連れて大広間へ走った。

「アーサー、女神像《めがみぞう》は服の内側にかくせる大きさだ。ゆったりした服を着ている人、大きなカバンを持っている人をかたっぱしからチェックするぞ。」

「OK《オーケー》！」

そのとき大広間の外のクロークルーム（上着や荷物を預《あず》かる場所）から黒いビロー

ドのドレスの女性《じょせい》が足早に出てきたんだ。コートとショール、ハンドバッグを抱《かか》え、楽器のケースを背負《せお》っている。あのケースはあやしい！

「失礼ですが、そのケースの中を確《たし》かめさせてもらえませんか？」

バイオリニストだという女性《じょせい》はイライラしたようすで言った。

「わたし、急いでるんです。ステージをすませてすぐにタクシーでここにかけつけたんですけど、明日も大事な仕事があって。飛行機の時間がギリギリなのに。」

「すみませんが、念のためご協力願います。」

「わかりました。変な疑《うたが》いをかけられたままじゃ気分が悪いですからね。」

彼女《かのじょ》は大きくため息をついた。両肩《りょうかた》についている大きなリボン飾《かざ》りがヒラヒラとゆれる。

ケースの中には、確《たし》かにバイオリンがおさまっていた。だれかの通報《つうほう》でやって来たらしい警察官《けいさつかん》がそばで見守っていたが、当てがはずれた顔になって言う。

「いや、申し訳《わけ》ありませんでした。もうけっこうです。」

静かにケースを閉《し》めた彼女《かのじょ》に、ぼくは少年らしいむじゃきな笑顔《えがお》を向けた。

「おいそがしいところ失礼しました。そのすてきなドレスは、ステージ用ですか？」

「ええ。それが何か？」

ぼくの推理《すいり》は今回も正しかった。確信《かくしん》を持って調べると——彼女《かのじょ》のバイオリンケースは二重底になっていて、奥《おく》からはあの女神像《めがみぞう》が出てきたのだ。


ポロロがこの女性《じょせい》を犯人《はんにん》だとにらんだ決め手はどこにあったのだろうか。

解説《かいせつ》

この女性《じょせい》の言い分では、ステージでの演奏《えんそう》を終えたそのままの衣装《いしょう》でパーティーに参加したことになる。だが、バイオリニストは肩《かた》に大きな飾《かざ》りがついた衣装《いしょう》は着ない。左の肩《かた》とあごの間ではさむようにしてバイオリンをかまえるからだ。ポロロはこのことから、にせのバイオリニストだと見破《みやぶ》ったのである。

犯人《はんにん》の女性《じょせい》は犯罪組織《はんざいそしき》の一員だった。組織《そしき》は本来招待《しょうたい》されていたバイオリニストに睡眠薬《すいみんやく》を盛《も》ってパーティーに行けないように足どめしていた。そこで、音楽の知識《ちしき》は特にないこの女性《じょせい》がニセのバイオリニスト役を務《つと》めることになったのだ。警備員《けいびいん》も仲間で、小部屋に人がいなくなった機を見はからって、この女性《じょせい》に女神像《めがみぞう》を持ち出させたのだった。

38

少年探偵《たんてい》ポロロとあやしい医者

危機《きき》↓逆転《ぎゃくてん》？

天才的な探偵《たんてい》というのは、やたらと事件《じけん》にまきこまれる運命を背負《せお》っているらしい。助手のアーサーとともに入院中の知人を見舞《みま》い、外に出てくると。

病院の裏手《うらて》で激《はげ》しく泣いているお嬢《じょう》さんを見かけて――「どうしたんですか」と声をかけずにいられなかったんだ。

お嬢《じょう》さんは顔を上げた。

「あなたみたいな小さい子に話すようなことじゃないかもしれないけど。」

小さい子だって、やれやれ。ぼくは胸《むね》を張《は》って言った。

「ぼくはポロロといって、これでも天才少年探偵《たんてい》と呼《よ》ばれているんですよ！」

「あなたが……あの⁉」

彼女《かのじょ》はぼくの手を強くにぎりしめると、せきを切ったように話しはじめた。

ナタリーというお嬢《じょう》さんは、今朝お父さんを亡《な》くしたのだという。お父さんはこの病院の経営者《けいえいしゃ》で、家族は病院の裏手《うらて》の屋敷《やしき》に住んでいるそうだ。

「今朝、父がベッドの中で亡《な》くなっているのを発見したのはいとこのバートです。バートはこの病院に勤《つと》めている医師《いし》で、心臓発作《しんぞうほっさ》だと診断《しんだん》をくだしたんですが、とても信じられません。父は心臓発作《しんぞうほっさ》なんて起こしたことはなかったんですから。」

「つまり、あなたはお父さまが殺《ころ》されたと思っているんですね。」

ナタリーはうなずいた。

「きのうの晩《ばん》、寝《ね》る前に。父が疲《つか》れぎみだというので、バートが『ビタミンの点滴《てんてき》でもしましょうか』と言ったんです。うちにはそのくらいの道具はそろっていますからね。これまでにもバートが点滴《てんてき》を行ったことはありました。でも、今朝になって父が亡《な》くなったと知らされたとき、何かおかしいと思って。」

「どこがおかしいと思ったんですか？」

「わたしは毎朝7時に、父の部屋にコーヒーを運ぶんです。それよりも早くバートが父の様子を見に行くなんて、何か見られたら都合の悪いことがあったとしか思えません。点滴《てんてき》の中に、毒《どく》がしこまれていたんじゃないかと思うんです。」

父親が亡《な》きあとはバートが病院を継《つ》ぐことに決まっているのも、ナタリーが彼《かれ》をあやしんでいる理由のようだ。

「なるほど。では、さっそく捜査《そうさ》してみましょう。ぼくが呼《よ》べば、警察《けいさつ》はすぐに動いてくれますからね。」


ぼくらが科学的な知識《ちしき》を持つ捜査官《そうさかん》をひきつれて屋敷《やしき》を訪《たず》ねると、バートという男はあからさまにイヤそうな顔をした。

「ふーん、ぼくを疑《うたが》ってるっていうわけなんですね。まあ、好きに調べてとっとと帰ってくださいよ。遺族《いぞく》の身にもなってほしいものですね。」

ぼくは、さっそく点滴剤《てんてきざい》の入っていた袋《ふくろ》をごみ箱から回収《かいしゅう》した。空っぽになった点滴袋《てんてきぶくろ》の中にはわずかな水滴《すいてき》がついているだけだったが、分析《ぶんせき》するには十分だ。

しかし、その中から毒物《どくぶつ》は検出《けんしゅつ》されなかったのである。

「これはダミーで、実際《じっさい》に使われた点滴袋《てんてきぶくろ》はもう始末された可能性《かのうせい》もあるかな。」

すると、ナタリーは首を横にふった。

「それはないです。点滴《てんてき》を始めるとき、わたしもいっしょに父の部屋に行って。そのとき、点滴《てんてき》の袋《ふくろ》に油性《ゆせい》ペンでいたずらがきをしたんです。」

ああ、これがそうだったのか。点滴袋《てんてきぶくろ》のはしっこには、小さくハートのマークが描《えが》かれていた。

ぼくらは屋敷《やしき》じゅうを探《さが》し回った。医者の家だからいろいろな薬が常備《じょうび》されていたが――どこからも毒物《どくぶつ》は発見されなかったのだ。

「いくら探《さが》したってムダですよ。毒物《どくぶつ》なんてないんですから。」

バートが見下したように言った。

その態度《たいど》から、ぼくは直感的に悪党《あくとう》のにおいをかぎとっていた。いや、これはただのカンだ。証拠《しょうこ》がなければどうにもならない。

「ちぇっ、毒物《どくぶつ》なんてないなら何があるっていうんだ。」

アーサーが舌打《したう》ちをしたとき、ぼくはその言葉がひっかかっていたのに気づいたんだ。そう、「毒物《どくぶつ》なんてない」という言い方が。

このとき、ちょうど遺体《いたい》の血液検査《けつえきけんさ》の結果も届《とど》いた。血液《けつえき》からは毒物《どくぶつ》は検出《けんしゅつ》されなかったという。

そして――司法解剖《かいぼう》の結果、バートの点滴《てんてき》がナタリーのお父さんを死に追いやったことが証明《しょうめい》された。「何もない」こともヒントになるものなんだ。


バートはナタリーの父に点滴《てんてき》を施《ほどこ》して殺害《さつがい》した。点滴《てんてき》にはいっさい毒物《どくぶつ》がふくまれていなかったが、なぜナタリーの父は死んでしまったのだろうか。

解説《かいせつ》

ナタリーのお父さんの命を奪《うば》ったのは、毒物《どくぶつ》ではなく「空気」であった。バートは点滴剤《てんてきざい》がなくなったあと、何度も大量の空気を注入していた。大量の空気が静脈《じょうみゃく》に入ったために血管が詰《つ》まり、「空気塞栓《くうきそくせん》」という血液《けつえき》が流れなくなる症状《しょうじょう》を起こしたのである。司法解剖《かいぼう》によって体内の血管が詰《つ》まった状態《じょうたい》になっていることが確《かく》認《にん》されると、取り調べを受けたバートは罪《つみ》を白状《はくじょう》した。

点滴《てんてき》の場合、注射《ちゅうしゃ》と同じく静脈《じょうみゃく》に針《はり》を刺《さ》す。注射《ちゅうしゃ》のとき、注射器《ちゅうしゃき》にわずかな空気が入ることはあるが、少しの量なら人が死ぬようなことはない。意図的に大量の空気を入れ続けなければ、空気塞栓《くうきそくせん》を起こすような状態《じょうたい》にはいたらないのだ。

39

だれよりもラーメンを食べた男

危機《きき》↓逆転《ぎゃくてん》？

ときは昭和40年代。アメリカから日本に帰ってきたアンドウ氏は、新しい発明のことで頭がいっぱいだった。

（アメリカに「チキンラーメン」を売りこむつもりが、思いがけなく新しいアイディアが見つかった。容器《ようき》入りでそのまま食べられるインスタントラーメンができたら、これこそヒットまちがいなしだ！）

アンドウ氏は、1958（昭和33）年に世界初のインスタントラーメンを発明し、世に送り出した人である。戦後、食べ物が思うように手に入らない時代――ラーメンは人々《ひとびと》の大きな支持《しじ》を得《え》ていた。米よりも小麦が入手しやすかったという事情《じじょう》も手伝い、屋台のラーメン屋が続々《ぞくぞく》登場。安くて、どんぶり一つで栄養も気持ちも満たされる。生のめんを買ってきて家でラーメンを作る人もいたが、これはなかなか手間がかかる。

（もっとかんたんに、なべも使わず、お湯をかけるだけで食べられるラーメンがあったらなぁ。）

そんな思いがアンドウ氏を研究に向かわせることになったのだ。

アンドウ氏は来る日も来る日も自宅《じたく》で研究にはげんだ。

最後まで苦しんだのは、「長期保存《ほぞん》ができて、しかもお湯をかけるだけでやわらかくなるめん」を作る方法だ。ゆでて乾燥《かんそう》させためんは、あとからお湯をかけるだけではやわらかくならなかったのだ。

これを打開するヒントは、アンドウ氏の妻《つま》が天ぷらをあげているのを見たときに訪《おとず》れた。

（油であげると、衣の水分が蒸発《じょうはつ》してカリカリになるんだよな。カリッとあがった天ぷらは、つゆにつけるとやわらかくなる。めんは、天ぷらの衣と同じ小麦粉《こむぎこ》だし……これだ！）

むしためんにスープをしみこませ、油であげる。これがアンドウ氏があみだした、お湯をかけただけで食べられる「チキンラーメン」の仕組みである。

「チキンラーメン」は爆発的《ばくはつてき》に売れたが、やがて、ほかの食品会社もインスタントラーメンを発売しはじめる。アンドウ氏がアメリカにわたったのは将来《しょうらい》を見すえて海外に売りこみをかけようと思ったためだ。

そこでアメリカのスーパーマーケットを訪《おとず》れ、担当者《たんとうしゃ》に試食してもらうようにすすめたとき――アンドウ氏は目をみはった。担当者《たんとうしゃ》はラーメンを割《わ》って紙コップに入れ、お湯を注いだのだ。

（そうか、アメリカにはどんぶりがないからなぁ。）

これが、パッケージと調理器具と食器が一体化した「カップめん」の構想《こうそう》が浮《う》かんだ瞬間《しゅんかん》だったのである。

容器《ようき》は中のお湯が冷めにくく、持っても熱くない発泡《はっぽう》スチロール。フタは、紙とアルミはくをはりあわせたものだ。アルミはくは光を通さないので、長く保存《ほぞん》するのに適《てき》している。フタのアイディアは、アンドウ氏が飛行機の機内サービスで配られたナッツの容器《ようき》をヒントにしたものだ。

中に入れるめんは、上の方はギュッと凝縮《ぎょうしゅく》し、下の方はややまばらになるようにした。どんぶりとちがってタテ長のカップでは、下の方がお湯につかりやすくなる。だから、全体にお湯が行きわたる工夫をしたのだ。

ところが、まだ一つ問題が残った。

カップにお湯を入れるからには、スペースによゆうを作らなければならない。そのため、カップの中で乾燥《かんそう》しためんがカラカラ動くのだ。

積みおろすとき、そんなにていねいにあつかわれるわけはないから、運ばれるとちゅうでめんが割《わ》れてしまう。

(せっかくのめんが粉々《こなごな》になってしまったら、ラーメンとしては致命的《ちめいてき》だ。)

アンドウ氏はさらに考えこんだ。

これまでにもねばり強く問題を一つひとつ解決《かいけつ》してきたアンドウ氏は、ついにこの問題もクリアしてみせた。

この「カップヌードル」は1971（昭和46）年に発売されると、さらなる大ヒット商品となったのである。


アンドウ氏はどんな方法で解決《かいけつ》したのだろうか。どうしたらカップの中でめんが動かなくなるか考えてみてほしい。

解《かい》説《せつ》

「カップヌードル」の底にはすきまがあることを知っていただろうか？　アンドウ氏が考え出したのは、めんをカップの真ん中に固定（底につかないように）する方法である。めんが容器《ようき》の真ん中に浮《う》いた状態《じょうたい》になっているため、運ぶときの振動《しんどう》から守られるのだ。

この話の主人公、安藤百福《あんどうももふく》は日清食品の創業者《そうぎょうしゃ》。自ら世界初のインスタントラーメン（チキンラーメン）、世界初のカップめん（カップヌードル）を発明した。かんたんに食べられ、長期保存《ほぞん》もできるカップめんは日本のみならず世界中で愛される革命的《かくめいてき》な発明品である。世界の食生活に大きな影響《えいきょう》を与《あた》えた人物といえるだろう。

めんを油であげる方法は、インスタントラーメンの製造《せいぞう》の基本《きほん》となった。「カップヌードル」の容器《ようき》は、かつては発泡《はっぽう》スチロールだったが、現在《げんざい》では環境《かんきょう》に配慮《はいりょ》した主に紙製《かみせい》のカップが使われている。

40

その証拠《しょうこ》

危《き》機《き》↓逆転《ぎゃくてん》？

「ああ、フラワーファンタジー・ランドならオレ、行ったことあるよ。」

こう言っちゃってから「ひさしぶりにやっちまった」と思ったけど、もうおそい。

オレって、話題に乗っかって軽々《かるがる》しくウソをついちゃうことがあるんだ。


いいカッコしたくなると、悪いクセが出る。

「へえ〜、今までそんな話聞いたことなかったけど。」

さっそくソウヘイがつっかかってきた。あーあ、もう後に引けないや。

「いいなぁ。アラタくん。あそこの大観覧車《だいかんらんしゃ》、人気あるよねぇ。」

おそろしく素直《すなお》なヒロカワさんは疑《うたが》いもせず、話を広げてきた。

「ああ、大観覧車《だいかんらんしゃ》ね、すごい並《なら》んでたな。」

ウソだってバレないよう、あたりさわりないことを言ってみる。

「フラワーファンタジー・ランドの大観覧車《だいかんらんしゃ》に2人きりで乗って一周すると恋人同士《こいびとどうし》になれるっていうの、有名だよね。あたしもいつか好きな人と乗りたいんだ。」

ヒロカワさんは目をキラキラさせてる。

いいね、そのときはオレがいっしょに乗りたいもんだ！

なんて考えてる場合じゃなかった。

ソウヘイはさらに追及《ついきゅう》してくる。

「だれと行ったんだよ？」

「いとこが遊びに来たとき、親と……。」

「じゃあさ、行った証拠《しょうこ》見せてよ。写真とか撮《と》ったでしょ？」

人気スポットに出かけたのに「写真がない」とは言えない。

「ああ、画像《がぞう》は親のスマートフォンに入ってるから、今度見せるよ。」

その日、家に帰るとオレはインターネットで使えそうな写真をかき集めた。もちろん、フラワーファンタジー・ランドの公式ホームページから拾うようなことはしない。一般《いっぱん》の人がインターネットにアップしてる、そんなにうまくない写真を探《さが》す。元の写真の一部だけを残してトリミングしたり、オレがピースサインをしてる写真をはりつけたり、加工するのにけっこう苦労して数枚《すうまい》の写真を用意したんだけど。

写真を見せた数日後、あっさりバレた。

なんとソウヘイは、オレがインターネットで探《さが》してきた――元の写真を見つけてきたんだ。

「この写真を無断借用《むだんしゃくよう》したんだろ？　ウソだったって認《みと》めろよ。」

ヒロカワさんがちょっとはなれた席から困《こま》ったような顔で見てる。

神様、お願いします。もう絶対《ぜったい》にウソはつきません。

だから、今度だけ――この場を切りぬける言いわけを考えつかせてください！

そう心から祈《いの》ったとき。

ヒロカワさんが近づいてきて、「ソウヘイくん、そんなに疑《うたが》うなんてよくないよ」って言ったんだ。それからオレの目を見た。

「アラタくん、ホントに行ったんでしょ？」

「う、うん……。」

すると、ヒロカワさんは驚《おどろ》きの言葉を口にしたんだ。

「あ、そうか。わかった！」

ヒロカワさんが続けて言ったのは、オレがまさに考えつきたかったような「言いわけ」で、ソウヘイも何も言い返すことができなかったんだ。

オレはこの日の帰りがけに、ヒロカワさんを呼《よ》びとめた。かばってくれたのはありがたいけど、本当のことを言わなくちゃと思ったから。

だけど、ヒロカワさんはオレがウソをついたって気づいてたんだ。

死ぬほどはずかしかったけど。

「なんでかばってくれたの？」って聞いたら。

ヒロカワさんはそれには答えずに言ったんだ。

「今度、ホントにフラワーファンタジー・ランドに行かない？」


ヒロカワさんは、どんな言いわけで主人公の「ウソ」を「本当」に見せることに成功したのだろうか。

解説《かいせつ》

ソウヘイは、主人公がインターネット上で集めた写真を見つけてきた。動かぬ証拠《しょうこ》だったが、ヒロカワさんは「ソウヘイくんが言ってることは逆《ぎゃく》で、アラタくん（主人公）がインターネットにアップしていた写真を他の人に使われたんじゃない？」と言ったのだ。そう言われると、さすがのソウヘイもそれ以上は調べようがない。

主人公は本当に反省して、これ以降《いこう》はくだらないウソをつくことはなくなった。

そして、ヒロカワさんとフラワーファンタジー・ランドに行き、２人で大観覧車《だいかんらんしゃ》に乗ったのである。

41

駐車禁止《ちゅうしゃきんし》

危機《きき》→逆転《ぎゃくてん》？

「また停《と》められてる。」

窓《まど》から外を見下ろしたオレは、ため息をついた。

オレはフリーランスの映像作家《えいぞうさっか》として独立《どくりつ》を果たしたばかり。コマーシャル映像《えいぞう》を作ったり、ミュージシャンの動画を作ったりするのが主な仕事だ。

自宅兼《じたくけん》仕事場として広めの一軒家《いっけんや》を買ったのだが、住んでみるまでこんな難点《なんてん》があるとは思いもしなかった。

近くにコンビニがあるのは便利だと思ったんだが、そこには駐車場《ちゅうしゃじょう》がない。コンビニに来た客がうちの敷地内《しきちない》に車を停《と》めてしまうんだ。道路のように舗装《ほそう》されているから、公道だと思われているのかもしれない。

少しの間くらいならガマンしてもいいけど、駐車場《ちゅうしゃじょう》代わりに長時間停《と》めているずうずうしいヤツもいる。

通報《つうほう》したこともあったが、警察《けいさつ》が到着《とうちゃく》するまでに車がいなくなったりと、どうもタイミングが悪いんだ。

そこで、オレはへいに「私有地《しゆうち》につき駐車禁止《ちゅうしゃきんし》」と書いたはり紙を張《は》ったんだが。

次の日、はり紙はなくなっていた。

今度は「私有地《しゆうち》につき駐車禁止《ちゅうしゃきんし》！　無断駐車《むだんちゅうしゃ》した場合、１万円の罰金《ばっきん》をいただきます」と書いた、ひとまわり大きい紙を用意した。

ところが、これも数日後にはなくなって、また車が停《と》められていたんだ。

二度もはり紙がなくなるなんて風で飛ばされたとは思えない。バカにしてる！

負けてなるものかと、オレは壁《かべ》に直接《ちょくせつ》ペンキで書くことにした。

しかし――敵《てき》はそうとうタチが悪い人間らしい。

赤いペンキで書いた注意書きは、上からスプレーで消されていたんだ。オレは真っ白いスプレーをかけられた壁《かべ》をながめながら考えた。はり紙を持ち去ったりここまでやるのは、相手も注意書きを無視《むし》できないからだ。つまり、効果《こうか》はあるってわけだ。

何かいい対策《たいさく》はないか。そのアイディアは、仕事をしている最中にふっとひらめいた。そうだ。「絶対《ぜったい》に消せない文字」があるじゃないか！

その後、無断駐車《むだんちゅうしゃ》されることはなくなった。

主人公は別の方法で「駐車禁止《ちゅうしゃきんし》」をアピールした。それはどのような方法だったのだろうか。

解《かい》説《せつ》

主人公は、「私有地《しゆうち》につき駐車禁止《ちゅうしゃきんし》！　無断駐車《むだんちゅうしゃ》した場合、1万円の罰金《ばっきん》をいただきます」と書いた画像《がぞう》を作り、白いスプレーがぬられた壁《かべ》にプロジェクターで映《うつ》し出したのだ。主人公は映像作家《えいぞうさっか》なので当然プロジェクターを所有していた。最近はプロジェクターがさまざまな場で使われるようになっている。ビジネスの場やアウトドアでもよく使われ、短い距離《きょり》で大きな画面を照射《しょうしゃ》できるもの、明るい場所でもきれいに映《うつ》し出せるものが増《ふ》えている。

ちなみに、このような注意書きにはよく「罰金《ばっきん》○万円をいただきます」と書かれているが、法的な力はない。それでも違反《いはん》を制《せい》するのには有効《ゆうこう》といえるだろう。

42

上映会《じょうえいかい》をぶっこわせ！

危機《きき》→逆転《ぎゃくてん》？

今日の文化祭をすごく楽しみにしていたのに、とんでもないことになった。

あたしは大学の映画学科《えいががっか》の学生だ。文化祭に向け、あたしのチームでは蛾《が》の研究者であるイワンさんに密着《みっちゃく》したドキュメンタリー映画《えいが》を製作《せいさく》してきた。

ところが、監督《かんとく》のニコライが勝手に映像《えいぞう》を加工して――大きな蛾《が》たちがイワンさんについていくように見える場面を作ってラストシーンに使っていたんだって。

ドキュメンタリー映画《えいが》なのに、これじゃ「やらせ」だよ！

エレーナがたまたまニコライのパソコンに入っていた「完成映像《えいぞう》」を見なければ、あたしたちは上映《じょうえい》本番まで知らなかっただろう。

「なんでそんなことをしたの？」と問いつめると、ニコライは笑って言った。

「盛《も》り上がりに欠けたからさ。わかりやすくドラマティックで感動的なシーンがあった方がいいだろ？　監督《かんとく》のオレからの、みんなへのサプライズだよ！」

ニコライはそう言い残すと、逃《に》げ出してしまった。映画《えいが》のデータはもう提出《ていしゅつ》されている。データはサーバーに読みこまれ、プロジェクターからスクリーンに投影《とうえい》されるのだ。

教室の小さなスクリーンで発表されるにすぎないけど。問題はそこじゃない。協力してくれたイワンさんを裏切《うらぎ》ることにもなってしまう。

あーあ、すごくいいできだと思ったのに。あたしは大きな蛾《が》が50匹《ぴき》ほど入った飼《し》育《いく》ケースをなでた。蛾《が》が卵《たまご》から成虫になるまでを勉強するためにイワンさんが譲《ゆず》ってくれたものだ。まるで緑の葉っぱみたいなオオミズアオっていう蛾《が》で、チョウみたいにきれいなんだ。

あんただって、事実とちがうように紹介《しょうかい》されるのは不本意じゃない？

「会場でニコライのやったことを説明したチラシを配るとか？」

「楽しい文化祭の日に、内輪のもめごとでまわりの雰囲気《ふんいき》を気まずくするのはイヤだな。チームの信頼《しんらい》関係ができてなかったのに、オレたちが被害者《ひがいしゃ》みたいにふるまうのもみっともないよ。」

マルティンの言葉に、みんな深くうなずいた。あたしもそう思う！

「もう映画《えいが》に手を入れることはできないけど。もし、ラストシーンの手前で画面を見えなくできたらと思うよ。」

あたしが言うと、マルティンはパチンと指を鳴らした。

「そうだ！　うちのチームの上映《じょうえい》は最後だし……やってみる価値《かち》はあるかもしれない。ニコライのヤツ、びっくりするぞ。」

マルティンは、機材にさわることなく「上映《じょうえい》とちゅうで画面を見えなくする方法」を思いついたようだ。どんな方法なのか推《すい》理《り》してほしい。

マルティンの発案で、みんなは飼育《しいく》していたオオミズアオを空気穴《あな》を開けたビニール袋《ぶくろ》に入れて会場に持ちこんだ。そして映画《えいが》の上映《じょうえい》が始まり、いよいよ問題のシーンの直前となったとき、いっせいに袋《ふくろ》を開けて蛾《が》を放したのだ。蛾《が》はあかりに集まる習性《しゅうせい》がある。50匹《ぴき》もの大きな蛾《が》がスクリーンに群がったので大騒《おおさわ》ぎに。そして、マルティンは蛾《が》の乱《みだ》れ飛ぶ中、スクリーンの前に出てお客さんに対してこのようにあやまったのだ。

「撮影《さつえい》を支《ささ》えてくれたスペシャルメンバーを紹介《しょうかい》しようと思って連れてきたのですが、おかしなタイミングで放してしまってたいへん申し訳《わけ》ありませんでした。」

この後、さすがのニコライもメンバーたちの反感の強さを実感し、映画《えいが》をもと通りに修正《しゅうせい》したという。そんなわけで翌日《よくじつ》の文化祭2日目はまともに上映《じょうえい》することができたのだ。

43

アーティストたち

危機《きき》→逆転《ぎゃくてん》？

わたしが画商のターナー氏の家に着いたときには、もうパーティーはだいぶ盛《も》り上がっていた。集まっているのは名の知れた現代美術《げんだいびじゅつ》のアーティストばかりだ。

「ルーク、遅《おそ》かったじゃないか。」

ターナー氏はすぐに人をかき分けて迎《むか》え出てくれた。

「すみません、用事をかたづけるのに手間どってしまいまして。70歳《さい》の誕生日《たんじょうび》おめでとうございます。」

そう言った瞬間《しゅんかん》、わたしはプレゼントのブランデーを入れた紙袋《かみぶくろ》を持っていないことに気づいた。地下鉄に忘《わす》れてきたらしい。汗《あせ》をふきふき言いわけをすると、仲間うちで特に親しいロニーがゲラゲラ笑う。

「おまえってヤツは絵で一流になっても、ほかのことはまったくダメだよな。」

カイが肩《かた》をたたきながらグラスをわたしてくれる。

「さあ、ルークも来たところでもう一度カンパイだ。ターナーさん、おめでとう！これからもオレたちの作品をガンガン売ってくださいよ！」

グラスに口をつけると、このシャンパンはかなりの高級品だとすぐわかった。

あ〜あ、お祝いに手ぶらで来るようなマヌケはわたしぐらいだろうなぁ。

あらためて失礼をわびると、ターナー氏の目がキラリと光った。

「そうだな。じゃあ代わりに……お祝いとして、何か描《か》いてもらおうかな。」

「えっ。今、ここでですか？」

「今日の記念にね。そうだ、みんなも頼《たの》むよ！」

ロニーもカイもけげんそうな顔をしている。やっぱりみんな、あのうわさを知ってるんだな。

かけだしのころから作品を認《みと》めてくれたターナー氏はわたしにとって恩人《おんじん》だ。

タダで絵をプレゼントするのはいい。だけど、うわさによると、ターナー氏はこんなふうに個人的《こじんてき》なプレゼントとして絵を描《か》かせ、それを裏《うら》のオークションで販売《はんばい》しているとか……。

そういうやり方はいくら恩人《おんじん》でも許《ゆる》せないが、断《ことわ》ったら雰囲気《ふんいき》がぶちこわしだ。

しかし、ターナー氏がペンや色紙をかかえてきたとき、奇跡的《きせきてき》にいいアイディアがひらめいたんだ。もう一杯《ぱい》シャンパンのグラスを空けると、わたしはロニーに耳打ちし、笑顔《えがお》でペンを握《にぎ》った。

主人公は、ターナー氏にお祝いの絵を贈《おく》るのはかまわないと思っている。だが、それを無断《むだん》で転売されるのはいただけない。ペンを手に取った主人公は、どうするつもりなのだろうか。

解説《かいせつ》

主人公がロニーに耳打ちしたアイディアは、瞬《またた》く間にみんなに伝わった。

主人公たちはターナー氏が持ってきた色紙は使わず、いっせいに部屋の壁《かべ》に絵を描《か》き始めたのだ。むじゃきなふうを装《よそお》い、「自分たちの絵でターナーさんの部屋を飾《かざ》ることこそ最高のプレゼントです」などともっともらしく言いながら描《か》き始めた。確《たし》かに、これこそ価値《かち》ある贈《おく》り物ともいえるので、ターナー氏も色紙を引っこめざるを得《え》なくなったのである。

44

言葉の魔法《まほう》

危機《きき》→対処《たいしょ》？


「痛《いた》そうですね。それ、どうしたんですか？」

休憩室《きゅうけいしつ》に入ってきたアンドウさんは、あたしがキズの消毒《しょうどく》をしているのを見て目を丸くした。

「ナミキさんにひっかかれたの。」

ナミキさんは、この介護老人福祉施設《かいごろうじんふくししせつ》で暮《く》らしはじめて2週間のおばあさんだ。

「ひっかかれた？　ナミキさんってどんな人なんですか？」

アンドウさんは不安そうに言った。あたしは明日、弟の結婚式《けっこんしき》に出るために福島《ふくしま》県《けん》の実家に帰ることになってて。あたしが休みの間は、アンドウさんがナミキさんの担当《たんとう》をすることになってるんだ。

「おしゃべり好きのおばあさんでね。広島県《ひろしまけん》の出身で、子どものころの思い出話とか、しゃべりまくるよ。」

「そうなんですか。わたしの夫も広島《ひろしま》出身なんです。広島《ひろしま》の話題、夫から予習しておこうかな。えーと、ナミキさん、認知症《にんちしょう》がありますよね？」

認知症《にんちしょう》とは、脳《のう》の機能《きのう》の障害《しょうがい》で起こる病気だ。症状《しょうじょう》が重い場合、さっきご飯を食べたことも忘《わす》れてしまうなど、日常《にちじょう》生活にも支障《ししょう》が出る。家族の顔を忘《わす》れてしまったり、記憶《きおく》が混乱《こんらん》して自分を子どもだと思いこんだりすることもある。

「そう。ナミキさんは急にだだっ子みたいにあばれることがあるんだよね。特に着《き》替《が》えを手伝うときが要注意だよ。じっとしててくれないから。」

やさしく「動かないでくださいね」と言っても聞いてくれやしないのだ。

そのとき、あたしのスマートフォンが鳴った。お母さんから電話だ。

「あ、お母さん。今？　仕事中だけど、さすけねぇ（問題ない）。うん……。」

話しながらアンドウさんと目が合う。あ、方言に反応《はんのう》したのか。はずかしい。

電話を切ったあと、照れ隠《かく》しに「家族と話してると、つられて方言が出ちゃうんだよねぇ」と言うと。

アンドウさんは思いがけないことを言ったんだ。

「あ、方言を笑ったんじゃないですよ。ナミキさんにどう声をかけたらいいか、ちょっと思いついたことがあったんです。」

あとで聞いたところ、アンドウさんは、着替《きが》えのときにナミキさんをおとなしくさせておくのに成功したらしい。そんな方法、思いつかなかったなぁ。

アンドウさんは、声のかけ方ひとつでナミキさんに言うことをきいてもらうのに成功した。どんな方法だろうか。

解説《かいせつ》

ヒントになったのは、主人公が地元のお母さんからかかってきた電話に出たとき、とっさに方言をしゃべったことだ。アンドウさんは、主人公が話した「ナミキさんは広島《ひろしま》育ち」という情報《じょうほう》と結びつけ、ナミキさんに広島《ひろしま》の方言で話しかけることを思いついたのだ。

着替《きが》えさせようとするとあばれだしたナミキさんに、アンドウさんが「いごいごせんといてや」と声をかけると、ナミキさんはおとなしくなった。これは広島《ひろしま》の方言で、子どもが落ち着きなく体を動かすのを注意するときに使われる言葉。アンドウさんは、広島《ひろしま》出身の夫からこの言葉を教わってきていた。ナミキさんも遠い昔に親からこの言葉をかけられており、感覚に刻《きざ》みこまれていたようである。

アンドウさんがこの方法を教えてくれたおかげで、主人公も苦労することはなくなったという。

45

新しいシューズ

危機《きき》→逆転《ぎゃくてん》？

ママに言いにくいことを言うのは、学校に出かける直前と決めている。

バタバタしていそがしいから、ママも細かくつっこんだり怒《おこ》ったりする時間がない。言うだけ言って「あ〜、もう行かなくちゃ、ちこくしちゃう」って逃《に》げられる。うやむやにして「了解《りょうかい》」をとる作戦なんだ。

だけど、これまでに同じ手を使いすぎたかもしれない。

「ママ、バスケ部で新しいシューズを買うことになったんだけど。」

と言うとママはピクッと眉《まゆ》をあげて、聞き返したんだ。

「買うことに『なった』ってどういう意味？　入部するときに部の指定のシューズ

を買ったよね。またチームでおそろいのを買うってこと？」

ここまで具体的に聞かれたら、ごまかしようがないな。


ぼくの中学のバスケ部では、入部した1年生はみんな部の指定の同じシューズを買う。最初のうちは、ほかのシューズをはいちゃいけないんだ。だけど、3年生が部活を引退《いんたい》した夏休み明けからは、1年生もそれぞれ好きなシューズを買ってもいいことになっている。もうショップを見に行って目をつけてるのがあるんだ。部の仲間といっしょに買いに行く約束もしてるんだけど。

ママはすごく合理的っていうのかな。ものを増《ふ》やすこと、ムダがきらいで買い物にはうるさいんだ。自分の服を買うときもかなり慎重《しんちょう》に、長く使えるものを選ぶ。何かねだるときに「みんな買ってるから」っていう理由は通らない。

ぼくはよく考えてから言った。

「そうじゃなくて。最近、シューズがきつくなっちゃったんだ。」

「ふーん。通学用の靴《くつ》はきつそうじゃないけど？」

「スポーツ用のシューズはまたちがうみたいでさ、つくりが小さいのかも。」

なるべくもっともらしい顔をして言ったけど、ママに納得《なっとく》してもらうには証拠《しょうこ》を見せないとダメそうだ。ぼくは続けて言った。

「ホントにきついんだって。今日、持って帰るから見てよ。」

ぼくたち1年生は入部半年たらずとはいえ、それなりに毎日汗《あせ》を流してきた。あまりマメに洗《あら》ってないせいで、シューズの内側は真っ黒だからね。


「シューズがきつくなった」のはウソだが、主人公はどうやってママに証拠《しょうこ》を見せるつもりなのだろうか。

解説《かいせつ》

主人公は、自分より足のサイズが小さい友だちにシューズを借り、それを持ち帰ってママの前ではいてみせた。シューズの内側には足のサイズがプリントされていたが、幸いそれは消えてしまっていたのだ。

主人公はこうしてママをだまし、新しいシューズのお金を出してもらえた。だが、あとあとバレておこられてしまう。結局、主人公は古いシューズと新しいシューズを並行《へいこう》して使ったが、交互《こうご》に使う方がシューズは、いたみにくいことがわかる。2足とも長持ちしたので、最終的にはママも納得《なっとく》したのである。

46

安ホテルの災難《さいなん》

危機《きき》→逆転《ぎゃくてん》？

地元の人が行くような市場や食堂《しょくどう》に出かけ、泊《と》まるのは安ホテル。お金を節約しながらちょっと変わった経験《けいけん》を楽しむ——そんな海外旅行記を読んで、すっかり影響《えいきょう》されてしまったんだけど。

ボロボロのホテルに着いたとき、オレは後悔《こうかい》していた。

もうちょっとマシなホテルを予約すればよかったな。

部屋のドアを開くと、むわっとした空気に包まれた。変なにおいがするので、換気《かんき》をしようと急いで窓《まど》を開ける。オレが一夜をすごすこの部屋はベッドとイスがあるだけ。洗面台《せんめんだい》はあるが、シャワーはない。かべはシミとカビだらけ。ビリビリに破《やぶ》れたカーテンがほのかな風にゆれている。

オレは次にベッドを点検《てんけん》した。ベッドもかたけりゃ、かけぶとんもかたい。ふとんカバーのファスナーを開いてみると中にはゴワゴワの毛布《もうふ》が入っている。この気温じゃ毛布《もうふ》なんていらないし、これを下にしいて寝《ね》た方がいいかもな。こんなカチカチのベッドじゃ体が痛《いた》くなりそうだし。


近くの食堂《しょくどう》に晩《ばん》ご飯を食べに行って。

とにかく早く寝《ね》てしまおうと思いながら、部屋の電気をつけると。

ブーン。

不快《ふかい》な羽音が耳をかすめた。

蚊《か》だ!

すばやくたたきつぶしたが、ひざにも別の蚊《か》がとまってる! ひざをたたいたが逃《に》げられた。この部屋にひそんでるのは2匹《ひき》や3匹《びき》じゃないようだ。

窓《まど》をしめたら暑くてたまらない。フロントに聞いてみたけど、殺虫剤《さっちゅうざい》も蚊取《かと》り線香もないらしい。頭からふとんをかぶってみたけど、暑くて無理だ！

昔の日本人は、蚊《か》から身を守るために蚊帳《かや》っていうでっかい網《あみ》を張《は》って寝《ね》たっていう。今ほしいのはまさにそれだよなぁ。

そう思ったとき、安眠《あんみん》するためのいい方法がひらめいたんだ。

蚊《か》が飛び回っている部屋の中で、安眠《あんみん》するには？　主人公はどんな方法を思いついたのだろうか。

解説《かいせつ》

主人公はふとんカバーのファスナーを開いて、中の毛布《もうふ》を出した。そして、ふとんカバーの中に入り、全身を包んで寝《ね》たのだ。

ただし、この方法を試すには十分な注意が必要だ。布団《ふとん》カバーが通気性《つうきせい》の悪い素《そ》材《ざい》であった場合、窒息死《ちっそくし》してしまう危険性《きけんせい》があるので、安易《あんい》に試してはいけない。

それよりも蚊取《かと》り線香がないときには、蚊《か》が嫌《きら》いな柑橘系《かんきつけい》のフルーツを買ってくるのがオススメだ。

オレンジやグレープフルーツの皮を手でつぶして香り成分を出し、その皮をそばに置いておくと蚊《か》は寄《よ》りつかない。

蚊《か》は、さまざまな病原体の運び手になる。むやみに刺《さ》されないよう注意するに越《こ》したことはないのだ。

47

白昼の追走劇《ついそうげき》

危機《きき》→逆転《ぎゃくてん》？

空き巣、スリ、ひったくり。

オレの肩書《かたが》きを説明するならそんなところだ。逮捕歴《たいほれき》はゼロ。デカい獲物《えもの》はねらわないし、人を殺《ころ》したりしない。目指すは「小規模《しょうきぼ》でも成功率《せいこうりつ》が高い窃盗《せっとう》」なのだが。

今日は珍《めずら》しくしくじった。ねらいを定めた家に空き巣に入って出てきたところ、そこの家の住人が帰ってきたのに出くわしてしまったんだ。住人の帰宅《きたく》時間はいつもならもっと遅《おそ》いはずなのに……！

「おい、待て！」

すぐさまかけ出したオレの後を、男が追いかけてくる。男は中年太りで、あまり足が速くなさそうだが声はやたらにデカい。

前を歩いていた女性《じょせい》はその声にふり向いたが、オレのスピードに驚《おどろ》いて道を開けた。ふつうの人間は走っている人間を急に止めたりはできないもんだ。

学生時代は陸上選手として鳴らしたオレの足は、今でもちょっとしたもんだ。善良《ぜんりょう》な市民たちが束になって前に立ちふさがったら一巻《いっかん》の終わりだが——それさえ免《まぬが》れれば逃《に》げきる自信はある。

オレは瞬間的《しゅんかんてき》にルートを変える決断《けつだん》をした。

路地を左に曲がり、表通りに出る。こういうときは、あえて人通りが多い道に出るのがいい。走りにくくはなるが、それは追う方も同じこと。

なら、かけっこに慣《な》れているオレの方が少し有利なはずだからな。

「泥棒《どろぼう》だ！」

「あいつをつかまえてくれ！」

後ろから飛んでくる声が増《ふ》えている。

オレは後ろをふり返って状況《じょうきょう》を確《たし》かめたいのをグッとこらえる。
それだけはやっちゃいけないんだ。
人通りの多い道に出るとさらに追っ手が増《ふ》えるリスクはある。
だけど、それを逆手《さかて》に取る作戦もあるのさ。

主人公はある作戦を使ってまんまと逃《に》げおおせた。どんな方法を使ったのだろうか。

解説《かいせつ》

主人公は、自分を追ってくる人たちと同じように「待て！」「あいつをつかまえろ！」と声を上げながら走ったのだ。主人公より前方にいる人たちには、主人公は「先頭を切って泥棒《どろぼう》を追いかけている人」にしか見えないのである。この戦法、鬼《おに》ごっこでも使えるかも⁉

主人公は味をしめて次の日にも同じ作戦を使ったものの、今度は失敗してしまう。主人公のアイディアはなかなかのものだったが、そのまま逃《に》げきることはできなかった。道のとちゅうで飛び出してきた警察官《けいさつかん》に「犯人《はんにん》はどこへ行きました？」と話しかけられ、結局は泥棒《どろぼう》だとバレてしまったのである。そして、これまでに犯《おか》した罪《つみ》をみっちり追及《ついきゅう》されたという。

48

地球の未来を守るには

危機《きき》↓逆転《ぎゃくてん》？

「きのうの雨、すごかったね。せっかくの日曜なのにさ。どうせならきょう降《ふ》ってくれれば体育やらなくてすんだのに。」

ニノが今ではすっかりかわいている校庭を見下ろしながら言うと、カンナはクスッと笑ってから少しまじめな顔になる。

「それがさ、九州《きゅうしゅう》は雨がすごかったじゃん？　うちのおばあちゃんの家、浸水《しんすい》の可《か》能性《のうせい》があって避難所《ひなんじょ》に行ったんだって。お母さんが電話したとき、なかなかつながらなくて心配しちゃった。」

「無事でよかったね！　そういえばニュースで『九州《きゅうしゅう》地方は、これまでに経験《けいけん》したことのない強い雨』が降《ふ》っていますって言ってた。あのフレーズ、なんだかこわいよね。」

カンナは、下じきで顔をあおぎながら言った。

「ゲリラ豪雨《ごうう》とかヒョウとか、多いよね。うちのお母さんも『昔はこんなに暑くなかった』ってよく言ってるし、異常気象《いじょうきしょう》ってホントなんだね。あーあ、こんな暑い日に体育やるなんて最悪。プールならともかくさ。」

そこで、モロハシ先生は2人の会話に口をはさんだ。「きょうの体育は、体育館でやるから」と言うと、2人は「やったー!」と歓声《かんせい》を上げる。

「それとね、異常気象《いじょうきしょう》っていうのは、『ある地域《ちいき》で30年に1回以下、発生するレベルの現象《げんしょう》』のことを言うんだよ。その基準《きじゅん》は30年分の平均値《へいきんち》から割《わ》り出していて、10年ごとにデータを更新《こうしん》してるんだ。今は異常気象《いじょうきしょう》だと思ってることが、10年後、20年後にはふつうになってるかもしれないわけ。」

カンナはおばあさんのことを思い出したのか、重々《おもおも》しく言った。

「異常気象《いじょうきしょう》は、地球温暖化《おんだんか》と関係あるんですよね? だから、温室効果《こうか》ガスを減《へ》らさなきゃいけないんだよ。」

「地球温暖化《おんだんか》って気温が上がるだけじゃないんですか？」

ニノが、モロハシ先生をふり返る。

「気温の上昇《じょうしょう》はいろんな異常気象《いじょうきしょう》の引き金になっているんだよ。世界的にも大雨やハリケーン、極端《きょくたん》な干《かん》ばつが増《ふ》えているし、自然の生態系《せいたいけい》も変化している。」

「でも、CO2《シーオーツー》の排出量《はいしゅつりょう》を減《へ》らす目標をかかげてるわりには、全然減《へ》らせてないですよね？」

モロハシ先生は、カンナを見つめた。教師《きょうし》という仕事をしていると、環境問題《かんきょうもんだい》に対して子どもたちが敏感《びんかん》なのがよくわかる。小さいころから環境問題《かんきょうもんだい》の情報《じょうほう》に触《ふ》れてきているせいもあるだろうけれど、未来を生きるのはこの子たちなんだからな——と思うと、モロハシ先生はときどき、周囲《しゅうい》の無関心な大人たちにももっと意識《いしき》を高く持ってもらうようにしなければと反省するのだ。

（ここはきれいごとじゃなく——だけど、希望のある話をしないとな。）

モロハシ先生は背《せ》すじをピッとのばした。

「温室効果《おんしつこうか》ガスというと『CO_2《シーオーツー》排出量《はいしゅつりょう》を減《へ》らせ』って話になるけど。温室効果《こうか》ガスにはほかにも種類があるんだ。たとえばメタンガスは、CO_2《シーオーツー》の25倍もの温室効果《おんしつこうか》があるそうだ。」

するとニノが目をパッと見開いた。

「メタンガス！　それっておならにふくまれてるヤツですよね？」

「なにそれ。ニノって変なこと知ってるね。」

「あはは！　あたし、うんことおならの本ばっかり読んでたことがあるからくわしいよ。おならの主な成分は、窒素《ちっそ》、水素《すいそ》、二酸化炭素《にさんかたんそ》、酸素《さんそ》、メタンなんだ。ってことはさ、おならをガマンすれば環境《かんきょう》のためにいいのかも？」

ニノとカンナは顔を見合わせて大爆笑《だいばくしょう》した。

モロハシ先生はあっけにとられ、ちょっと感心して言ったのだ。

「発明家っぽい発想だね。じつは、先生の友だちに温室効果《おんしつこうか》ガスを減《へ》らすための研究をしている人がいてね。彼《かれ》は、牛のエサの改良に取り組んでいるんだ。」

「えっ、牛はおならの回数が多いとか？」

目を丸くしているニノにモロハシ先生は言った。
「おならじゃないけど……発想の方向はあってる。ぼくもこの話を聞いたとき、研究者ってすごいことに気づくんだなと思ったよ。」

先生は、「牛のエサを改良することで温室効果《おんしつこうか》ガスを減《へ》らせる」という。おならでなければ、牛はどうやってメタンガスを放出しているのだろうか。

解説《かいせつ》

地球温暖化《おんだんか》は、CO_2《シーオーツー》（二酸化炭素《にさんかたんそ》）などの温室効果《こうか》ガスが過度《かど》に増《ふ》えたため、太陽熱が宇宙《うちゅう》へと逃《に》げにくくなったことが原因《げんいん》だ。世界中でCO_2《シーオーツー》の排出《はいしゅつ》を減《へ》らすさまざまな対策《たいさく》がとられているが、温室効果《こうか》ガスはCO_2《シーオーツー》だけではない。今、注目されているのはメタンを減《へ》らすこと。メタンは、なんとCO_2《シーオーツー》の25倍もの温室効《こう》果《か》を持っているのだ。

地球上のメタン濃度《のうど》を急上昇《きゅうじょうしょう》させたのは、家畜《かちく》の牛の増加《ぞうか》である。牛が食べ物を消化する過程《かてい》で、胃《い》の中でメタンガスが生じる。ゲップによって外に排出《はいしゅつ》される量は、１頭につき１日に２００リットルといわれる。そこで、世界の研究者はゲップをおさえるエサの開発に取り組んでいるのだ。ちなみに人間のおならにふくまれるメタンはごく微量《びりょう》なので気にする必要はない。

49

トップを目指せ！

危機《きき》↓逆転《ぎゃくてん》？

「リンカ！」

体育館から出たところでその声がしたとき——聞こえなかったふりをして行っちゃおうかと思ったけど。コハルはすばやくあたしの前に走り出てきた。

「久《ひさ》しぶり。去年の市民大会のとき以来だよね。」

「うん、そうだね。」

コハルはニコニコしてるけど、あたしは会いたくなかった。コハルは、小学校時代のバレーボール部の仲間だ。中学は分かれたけどお互《たが》いバレーを続けていて、こうやって地域《ちいき》の大会のときに顔を合わせたりする。

「うちは1回戦で負けちゃった。リンカたちは2回戦で負けたんだっけ？」

「そう。」

コハルとしゃべりたくなかったのは、あたしが試合に出てないからだ。あたしたち3年生にとっては最後の試合だったんだけど。3年間がんばってきたけど、レギュラーにはなれなかった。今日だってベンチ入りもできなくて応援《おうえん》してただけ。

コハルは小学校のとき、あたしよりヘタクソだったんだよ。今日の試合を見たかぎり、今だってあたしの方がうまいと思う！　コハルのとこは部員が少ないから、あの程度《ていど》でもレギュラーで試合に出られるんだよね。

「相手のエースのスパイクが強烈《きょうれつ》でさぁ。でも、1回だけすごいきれいにブロックできたの。それだけでも自分としてはよくやったなぁって思ってる。」

コハルが目をキラキラさせて話すのを見てたら、思わず本音が出ちゃった。

「あたしも高校ではレギュラーになりたいなぁ。」

そしたら、コハルは言ったんだ。

「だよねぇ。やっぱり試合に出るっていいよ。がんばって！」

この言われ方、ちょっと屈辱的《くつじょくてき》！　なんであたしがコハルにはげまされなきゃならないわけ⁉　よし、決めた。

「あたし、高校では絶対《ぜったい》にレギュラーになって活躍《かつやく》してみせる。それも県大会で上位に入る、全国も目指せるチームでね。」

あたしの言い方、だいぶイヤミっぽかったよね。コハルは気まずそうな顔になり、急いで話を切り上げ、チームの仲間の方にもどっていった。

でも。勢《いきお》いでデカいこと言っちゃったけど。絶対《ぜったい》にやってやるから！

そして、あたしは宣言《せんげん》をみごとに実現《じつげん》してみせたのだ。

主人公は高校進学後、宣言《せんげん》通りに全国レベルのチームでレギュラーの座《ざ》についた。確信的《かくしんてき》にそれを実現《じつげん》するためにどんなことをしたのだろうか。

解《かい》説《せつ》

主人公はあまりメジャーではない部活動のある高校を調べあげた。そして、高校では珍《めずら》しいグランドホッケー部（陸上のホッケー）に入部。県下ではグランドホッケー部のある高校は１ケタだったため、全国大会に手が届《とど》きやすい。部員も少なかったので主人公はすぐにレギュラーになり、活躍《かつやく》できたのだ。

世界的にはメジャーでも、日本では競技《きょうぎ》人口が少ないスポーツはたくさんある。たとえば、アジアオリンピック競技《きょうぎ》のカバディ（女子）も現在《げんざい》のところ人材不足に悩《なや》んでいるそうだ。実はほかにも競技《きょうぎ》人口が少ないために、始めればすぐにも日本代表になれそうなスポーツはいろいろある。興味《きょうみ》のある人は「マイナースポーツ」というキーワードで検索《けんさく》してみてほしい。学校の部活以外のスポーツ団体《だんたい》に参加する手もある。一躍《いちやく》、スター選手になれる道が開けるかも。一つのものごとにこだわらずに広く選択肢《せんたくし》を探《さぐ》ったり、目標をかなえるための方法を柔軟《じゅうなん》に考えることは大切だ。

50

99%《パーセント》の努力

危機《きき》→逆転《ぎゃくてん》?

1931年、10月21日、夜の10時。

1分間にわたって、アメリカ中の家がいっせいにあかりを消した。いつもはまだ華《はな》やかに照らされている繁華街《はんかがい》も、アメリカのシンボル「自由の女神」のたいまつさえも。

これは、当時のアメリカのフーバー大統領《だいとうりょう》の提案《ていあん》によるものだった。

世界の発明王・エジソンが亡《な》くなったのは3日前のこと。

数えきれないほどの発明をし、中でも白熱電球という、今やみんなの生活になくてはならないものを生み出したエジソンに敬意《けいい》を表すため「すべてのあかりを1分間、消しましょう」と呼《よ》びかけた。それにたくさんの人が応《こた》えたのである。

話は数十年前、1879年にさかのぼる。

かつてはランプやロウソクが使われていたが、19世紀《せいき》に入ると、さまざまな科学者が電気を使ったあかりを作ることに挑戦《ちょうせん》しはじめた。

電気を使ったあかりでは、「アーク灯」というものが実用化されていたが、室内で使うには明るすぎること、放電の際《さい》に有毒《ゆうどく》ガスが発生することが欠点だったのだ。

そこで考えられたのが、「白熱」という現象《げんしょう》を使った方法だ。

白熱電球は、フィラメント（細い線のような物質《ぶっしつ》）に電流を通して発光させる仕組みだ。

「ガラスの球の中でフィラメントを燃《も》やす電球の原型《げんけい》は、わたしが生まれる前に考えられているんだよ。だが、このフィラメントの素材《そざい》選びが問題なのさ。」

エジソンは助手に話しかけた。

「フィラメントが燃《も》えつきると光は消えてしまうから、できるだけ長い時間燃《も》え続ける素材《そざい》が必要なんですね。」

助手は深くうなずいた。

フィラメントを白金や炭素《たんそ》のうすい板で作ってみた人もいたが、これはうまくいかなかったという。

「いいところまでいったのはイギリスのスワンだ。紙や糸を炭化させた繊維《せんい》をフィラメントにした。だが、電球が光っていたのはたったの数十秒だったそうだ。わたしも、何かを炭化させて使う方法はまちがっていないと思うよ。」


エジソンはいろいろな方法を試したすえ、ついに13時間も電球を光らせておくことに成功した。使用したのは、木綿《もめん》の糸を炭化させた繊維《せんい》によるフィラメントだ。

「さすがはエジソンだ。13時間とはすごい！」

当時、すでにエジソンは蓄音機《ちくおんき》をはじめたくさんの発明品を生み出していた有名人だった。まわりの人々《ひとびと》はほめたたえたが、エジソンは不満である。

「ダメだね。電球を実用化するとなったら、13時間くらいじゃ話にならないよ。」

エジソンは植物由来の天然繊維《てんねんせんい》が有力だという結論《けつろん》に達していた。

「あとは、最適《さいてき》な素材《そざい》を見つけるまでだ。世界中の植物を試しまくるぞ！」

こんなとき、損得勘定《そんとくかんじょう》ぬきに徹底的《てっていてき》にやるのがエジソンという男だ。

エジソンは植物にくわしい人や探検家《たんけんか》を募《つの》り、世界中に送りこんだ。フロリダ、ブラジルをはじめとする南米の国々《くにぐに》、東南アジア諸国《しょこく》、中国、日本……。

エジソンは送られてくる植物のサンプルをかたっぱしから試し、なんと6000種類以上がゴミ箱行きになった。

（炭化させても焼き切れてしまわない、じょうぶな繊維《せんい》が必要だ！）

まさに、エジソンの残した言葉「天才は1％《パーセント》のひらめきと99％《パーセント》の努力から成る」を証明《しょうめい》するような行動である。

妥協《だきょう》せずに理想を追って――エジソンはついに求めていた素材《そざい》を見つけた。

その植物を炭素化《たんそか》したフィラメントは1200時間以上も光り続けたのだ。

エジソンが白熱電球の特許《とっきょ》を認《みと》められたのは1880年のことだった。

エジソンが完成させた白熱電球のフィラメントの素材《そざい》は、日本で発見された植物である。じょうぶな繊維《せんい》を持つその植物とは何だったのか、推理《すいり》してほしい。

解説《かいせつ》

答えは竹。まず、エジソンは中国の竹を試したときに、繊維《せんい》がじょうぶでフィラメントに向いていることに気づく。その後、世界中の竹を集めて実験を行なった結果、特に京都府《きょうとふ》の神社、石清水八幡宮《いわしみずはちまんぐう》の境内《けいだい》に生えていた真竹が最も優秀《ゆうしゅう》という結論《けつろん》にいたったのだ。竹のフィラメントの白熱電球は、もっと寿命《じゅみょう》の長い炭化セルロースのフィラメントが開発されるまで、10年ほど利用されたという。

白熱電球を完成させたエジソンは、同時に発電機の発明を成功させている。せっかく電球を作っても、各地域《かくちいき》に電気を送るシステムがなければ無意味だと考えていたためだ。

子どものころから好奇心旺盛《こうきしんおうせい》だったトーマス・エジソンは、生涯《しょうがい》に1000以上の発明をしたといわれる。なかでも代表的なものが蓄音機《ちくおんき》と白熱電球である。

未来を変えるのは、明日を少しでもよりよいものにしようという気持ちだ。ひらめきだけでなく、努力をおしまず行動し続けることが天才の条件《じょうけん》だろう。

参考文献《さんこうぶんけん》

『アイデアの珍天才　面白すぎる雑学知識』暮らしの達人研究班／編（青春出版社）
『エジソンと発明』大森充香（丸善出版）
『思わず人に話したくなるモノの仕組み　ふしぎ雑学』中村智彦／監修（永岡書店）
『科学・178の大疑問 学校では教えてくれない素朴な質問』Ｑｕａｒｋ＆高橋素子／編（講談社）
『今日は何の日？　366日の感動物語』木平木綿／編（学研プラス）
『こんなにも面白い医学の世界　からだのトリビア教えます』中尾篤典（羊土社）
『西洋人物こばなし辞典』三浦一郎／編（東京堂出版）
『その道のプロが教える裏ワザ大事典』知的生活追跡班／編（青春出版社）
『ニッポン天才伝　知られざる発明・発見の父たち』上山明博（朝日新聞社）
『日本の発明・くふう図鑑』発明図鑑編集委員会／編著（岩崎書店）
『発想の瞬間　天才たちはいかにして世紀の発明・発見をしたか』高橋誠（ＰＨＰ研究所）
『発明・発見の大常識』板倉聖宣／監修（ポプラ社）
『もっと知りたい歌川広重　生涯と作品』内藤正人（東京美術）

粟生こずえ

東京都生まれ。小説家、編集者、ライター。マンガを紹介する書籍の編集多数、児童書ではショートショートから少女小説、伝記まで幅広く手がける。おもな作品に、「3分間サバイバル」シリーズ(あかね書房)、『トリッククラブ キミは18の錯覚にだまされる!』(集英社みらい文庫)、『かくされた意味に気がつけるか? 3分間ミステリー 真実はそこにある』(ポプラ社)、『ストロベリーデイズ 初恋〜トキメキの瞬間〜』『ストロベリーデイズ 友情〜くもりのち晴れ〜』(主婦の友社)など。『必ず書ける あなうめ読書感想文』(学研プラス)はロングセラーを記録中。

装画　秋赤音
校正　有限会社シーモア
装丁　小口翔平＋奈良岡菜摘(tobufune)

3分間サバイバル
未来を変えろ!　天才の発想

2022年3月初版　2023年7月第4刷

作　粟生こずえ
発行者　岡本光晴
発行所　株式会社あかね書房
〒101-0065 東京都千代田区西神田3-2-1
電話　営業 (03)3263-0641
　　　編集 (03)3263-0644
印刷・製本　中央精版印刷株式会社

NDC913　255ページ　19cm×13cm

ISBN978-4-251-09683-8
乱丁・落丁本はお取りかえします。定価はカバーに表示してあります。
https://www.akaneshobo.co.jp